QUAND LA RÉUSSITE NE SUFFIT PLUS...

ADAM WALKER

Publié précédemment au Royaume-Uni sous le titre When Success is not Enough par Judy Piatkus (Publishers) Ltd.

Traduction : France de Palma
Révision : Jérôme Mailloux-Garneau
Correction d'épreuves : Audrey Faille
Conception graphique et mise en pages : Interscript
Conception de la couverture : Cyclone Design
Photo de la couverture : PhotoDisc et Photos.com

Imprimé au Canada

ISBN-10 : 2-923351-52-5
ISBN-13 : 978-2-923351-52-0
Dépôt légal – Bibliothèque et Archives nationales du Québec, 2007

© 2004 by Adam Walker
© 2007 Éditions Caractère

Tous droits réservés. Toute reproduction, traduction ou adaptation en tout ou en partie, par quelque procédé que ce soit, est strictement interdite sans l'autorisation préalable de l'Éditeur.

Gouvernement du Québec – Programme de crédit d'impôt pour l'édition de livres – Gestion SODEC

Visitez le site des Éditions Caractère
www.editionscaractere.com

REMERCIEMENTS

La publication de ce livre a été rendue possible grâce à l'aide de plusieurs personnes. J'aimerais remercier particulièrement :

- Les nombreux auteurs et conférenciers qui m'ont encouragé à entreprendre et à poursuivre mon propre voyage d'autodécouverte.
- Les milliers de gens qui ont participé à mes séminaires et qui m'ont aidé à tester, à peaufiner et à développer les idées de ce livre au cours des 16 dernières années.
- Ma recherchiste, Barbara James, pour sa détermination et l'attention qu'elle porte aux détails lorsqu'elle vérifie toutes mes données.
- Mon adjointe personnelle, Lyn Harding, pour son travail extraordinaire lors de la préparation des nombreuses versions de ce manuscrit.
- Mon épouse, Kym, pour m'avoir permis d'utiliser son histoire comme exemple de quelqu'un qui sait définir ses objectifs.
- Franklyn Covey pour la permission d'utiliser l'extrait de son énoncé de mission.
- Richard Bandler pour la permission d'utiliser sa liste de sous-modalités.
- Mon agent littéraire, Euan Thorneycroft de Curtis Brown, pour m'avoir aidé à transformer une idée en réalité.
- Ma réviseure, Penny Philips, et tous les membres du personnel de ma maison d'édition, Piatkus, pour l'aide apportée lors de la production du manuscrit final.

INTRODUCTION

Avant d'entreprendre la lecture de ce livre, vous devez prendre une décision importante : vous devez décider de ce que vous voulez en retirer.

Si vous ne recherchez qu'une expérience agréable, alors lisez-le comme un roman et profitez-en. Mais si vous désirez bénéficier au maximum de ce livre, vous devrez le *mettre en pratique* et non pas seulement le lire. Vous devez donc décider dès maintenant de faire tous les exercices, même ceux qui vous semblent un peu étranges au début. Vous aurez besoin d'un stylo et d'un cahier de notes dans lequel vous inscrirez toutes vos réponses. Si vous procédez de cette façon, je vous promets que vous profiterez nettement plus de cet ouvrage.

J'espère que le livre vous plaira et que vous en retirerez des avantages durables.

Adam Walker
Février 2004

Une personne qui a réussi est quelqu'un
qui a un présent satisfaisant, un passé complètement assumé
et un avenir passionnant, stimulant et animé par la volonté.

PREMIÈRE
PARTIE

SAVOIR CE QUE VOUS VOULEZ VRAIMENT

CHAPITRE 1

Qu'est-ce que la réussite ?

Nous voulons tous réussir dans la vie, mais qu'est-ce que la réussite ?

La réussite représente différentes choses pour différentes personnes. Que représente-t-elle pour vous ? Avant d'aller plus loin, prenez le temps de répondre à ces deux questions :

- Qu'est-ce que la réussite représente pour moi ?
- Comment ferais-je pour savoir si j'ai réussi ?

Je débute mes séminaires en demandant aux gens qui sont dans la salle de répondre à ces deux questions, et je suis toujours étonné de la variété des réponses que je reçois. Pour certaines personnes, la réussite signifie uniquement la réussite financière. Pour d'autres, il s'agit de la carrière qu'elles aimeraient avoir. Certaines personnes aimeraient trouver quelqu'un à aimer. Certaines autres aimeraient améliorer leur santé ou leur apparence physique. Les réponses sont très diversifiées.

Et c'est bien ainsi. Les gens sont différents les uns des autres. Il n'y a pas de bonnes ou de mauvaises réponses à ces questions (quoique certaines réponses vont sûrement procurer plus de joie et de satisfaction que d'autres). Cependant, la réponse la plus courante est : « Je ne sais pas vraiment. »

Et de là le problème. La société fait grandement pression sur les gens pour qu'ils réussissent, sans pour autant préciser ce que cette « réussite » signifie. D'où que plusieurs personnes passent leur vie à courir après la fin d'un arc-en-ciel ou à se dire que, lorsqu'elles auront accompli ceci ou auront acheté cela, *alors* elles seront finalement heureuses. Mais le bonheur promis n'arrive jamais. Il semble toujours y avoir une dernière condition à remplir avant que puissent être goûtés le bonheur et la satisfaction recherchés.

Alors, qu'est-ce que la réussite ?

Avant de vous donner ma réponse, j'aimerais que vous fassiez deux autres choses pour moi :

- Écrivez les noms de trois personnes qui ont réussi et que vous admirez. (Il peut s'agir de chefs d'État, de gens qui sont passés à l'histoire, de politiciens passés ou actuels, de chefs d'entreprise, d'athlètes ou de gens ordinaires que vous connaissez et admirez.)
- Écrivez aussi ce que vous admirez chez ces gens.

Je demande aussi aux participants de mes séminaires de faire cet exercice, et chaque fois, je suis fasciné de constater à quel point leurs réponses sont *semblables.* Les mêmes noms reviennent sans cesse.

Des chefs d'État tels que :

- Winston Churchill
- Nelson Mandela
- Mahatma Gandhi

Des chefs d'entreprise tels que :

- Richard Branson
- Bill Gates

- Sir John Harvey Jones

Et des athlètes tels que :

- David Beckham
- Ellen MacArthur
- Michael Schumacher

Mais que partagent toutes ces personnes ? D'après moi, elles ont toutes…

… UN SENS DE L'INTENTION

En effet, ces gens partagent tous un élément important : un sens ardent de l'intention (volonté), c'est-à-dire une vision de l'avenir si forte qu'elle les a amenés à réaliser l'impossible.

D'aussi loin qu'il puisse se rappeler, David Beckham voulait être joueur de football. Ellen MacArthur a économisé l'argent de ses dîners d'école pour acheter son premier bateau. Le fait d'avoir un but précis les a motivés à devenir des gens extraordinaires. C'est ce qui leur a donné la passion nécessaire pour atteindre l'excellence dans le domaine qu'ils ont choisi, et c'est ce qui, chaque jour, les motive à se dépasser pour atteindre de nouveaux sommets. Ce sont les gens que j'admire le plus : des gens qui vivent leur intention, voire transpirent la volonté.

Rares sont ceux qui ont ainsi un *sens de l'intention* aussi fort dans la vie, mais je vous assure que vous les reconnaîtrez quand vous les rencontrerez. Ils vivent plus intensément, sont plus attentifs au monde qui les entoure, accomplissent de grandes choses, aiment passionnément et jouissent de la vie plus que les autres. D'où qu'ils illuminent la vie des autres comme un rayon de soleil lors d'une journée d'hiver.

Alors qu'ont-ils à voir avec vous ? Laissez-moi vous expliquer ce lien qui vous unit à eux. En effet, le *pouvoir de l'intention* ne regarde pas que les gens célèbres ; il peut aussi transformer la qualité de vie de *quiconque.*

Les gens qui ont un sens de l'intention viennent de tous les milieux. Plusieurs d'entre eux ne sont ni riches ni célèbres, mais ils ont néanmoins le don d'affecter la vie de tous ceux qu'ils rencontrent. Et vous le pouvez aussi.

N'importe qui peut découvrir son sens de l'intention à n'importe quel moment de sa vie. Je vais vous montrer comment découvrir le vôtre, mais avant de le faire, j'aimerais vous parler de certaines personnes que j'ai récemment rencontrées.

La première est un homme du nom de Pete Egoscue, que j'ai rencontré lors d'un cours à Hawaii. Pete est un ancien soldat de la marine américaine qui a été sérieusement blessé au Viêtnam. Les médecins l'avaient avisé que ses blessures étaient tellement graves qu'il ne marcherait plus jamais normalement. Mais Pete refusa d'accepter ce pronostic. Afin de surmonter ses blessures, il acheta plusieurs livres sur l'anatomie et le yoga, et inventa son propre régime d'exercices. À la grande surprise de ses médecins, il parvint non seulement à réapprendre à marcher, mais il réussit aussi à se remettre suffisamment en forme pour retourner dans la marine comme « officier servant » !

Le remarquable rétablissement de Pete ne tarda pas à se faire connaître et d'autres soldats vinrent le consulter. Il leur apprit comment faire ses exercices et obtint d'excellents résultats. Bientôt, sa réputation s'étendit bien au-delà de l'armée. Aujourd'hui, il dirige une clinique à San Diego en Californie, où des milliers de patients, chaque année, sont traités pour des maux de dos, de l'arthrite et des blessures sportives.

La clinique Egoscue jouit maintenant d'une réputation d'excellence au niveau international, et grâce à sa réussite, Pete est aujourd'hui un homme riche. Mais je ne l'admire pas pour sa réussite financière, mais pour ce que j'admire le plus chez Pete, à savoir son *sens de l'intention*. Malgré sa richesse, il continue à s'occuper quotidiennement de patients et, de toute évidence, il aime son travail autant que lorsqu'il a commencé.

Je l'ai regardé soigner un homme dans la cinquantaine qui souffrait des séquelles d'une blessure à la cheville depuis 15 ans. Ce patient avait tout essayé – la chirurgie, les analgésiques, les massages – mais rien ne venait à bout de son mal. Pete réussit à le libérer de sa douleur en quinze minutes et lui prescrit une série d'exercices à effectuer, qui lui permettrait de se débarrasser de la douleur de façon permanente. L'homme était tellement reconnaissant qu'il en avait les larmes aux yeux – il avait peine à croire qu'enfin il ne souffrait plus après tant d'années. J'ai vu le regard de Pete à la fin du traitement et j'ai compris que cet homme *vivait vraiment son intention*. S'il vit jusqu'à l'âge de 100 ans, Pete Egoscue passera probablement sa dernière journée sur terre dans la clinique en disant : « Un petit moment, mon Dieu, je dois achever de traiter de dernier patient avant de partir. » Voilà ce que j'appelle une réussite : *un homme qui vit son intention*, c'est-à-dire qu'il va au bout de sa volonté et de ses intentions.

Dans le domaine de la musique, il y avait un saxophoniste que j'admirais énormément du nom de Dick Morrissey. Il s'agissait d'un musicien de jazz qui a participé à des centaines de disques des années 70-80 et du début des années 90. J'ai assisté à plusieurs de ses concerts avec son groupe, *Morrissey Mullin*. Aussitôt qu'il montait sur scène, il était évident que cet homme adorait être musicien.

Malheureusement, Dick Morrissey mourut le 8 novembre 2000 d'un cancer de la colonne vertébrale, un des cancers les plus cruels et les plus douloureux. Mais malgré la douleur intense, et même s'il était en fauteuil roulant durant la dernière année de sa vie, il continua à jouer jusqu'à la toute fin. Il donna son dernier concert quelques jours avant de mourir. Il était alité à ce moment, mais cela ne l'a pas empêché de continuer. Il demanda à quelques-uns de ses amis de descendre son lit au pub du coin, à Deal, afin de pouvoir jouer une dernière fois. Quel beau départ !

Les gens que j'ai décrits jusqu'à maintenant sont tous déjà rendus au sommet de leur art. Mais le même sens de l'intention peut transformer la vie de quiconque, même de quelqu'un qui n'aurait pas « réussi » dans le sens conventionnel du terme. Laissez-moi vous expliquer ce que je veux dire en vous parlant de deux autres personnes que j'ai récemment rencontrées.

La première est une jeune femme du nom de Heather, que j'ai rencontrée lorsque j'étais en vacances. Heather n'est ni riche ni célèbre et ne le sera peut-être jamais, mais son énergie, sa vivacité et sa joie de vivre peuvent illuminer la journée de n'importe qui. Et d'où vient cette énergie ? Elle vient de l'amour que cette jeune femme éprouve pour son travail. Heather entraîne des dauphins. Elle m'a expliqué qu'elle avait commencé à envisager de travailler avec des dauphins à l'âge de six ans. Il lui aura fallu 16 ans pour réaliser son rêve. Mais lorsque vous la voyez au travail, vous réalisez que sa patience en valait la peine. Heather est un autre merveilleux exemple de quelqu'un qui a véritablement trouvé la satisfaction de *vivre son intention*.

La dernière personne dont j'aimerais vous parler est un professeur nommé Jeff, que j'ai rencontré dans un camp d'été pour adolescents au Nevada, auquel j'ai participé. Jeff n'a pas toujours été professeur. Il a travaillé pendant 20 ans comme entrepreneur en construction. Il avait toujours voulu être professeur, mais parce qu'il ne s'entendait pas bien avec son père et que ce dernier était professeur, il avait alors choisi une autre profession.

Jeff a passé 20 ans à bâtir une entreprise qui a connu beaucoup de succès, mais son désir d'enseigner ne l'a jamais quitté. Finalement, à l'âge de 40 ans, son envie d'enseigner devenait irrésistible, voire irrépressible. Ainsi, Jeff vendit sa compagnie de construction et retourna au collège pour acquérir une formation en pédagogie. Les membres de sa famille ont dû faire de grands sacrifices financiers pour le supporter, mais ils savaient à quel point ce changement de carrière était important pour lui et ils étaient contents de pouvoir l'aider.

Jeff obtint d'excellentes notes au collège et il aurait pu enseigner n'importe où. Il a toutefois choisi de travailler dans une des écoles les plus difficiles d'Amérique. Dans une classe de 38 enfants, seulement six d'entre eux vivaient avec leurs deux parents. Ces étudiants vivaient une vie marquée par la pauvreté, les drogues et la violence. La première tâche que Jeff devait effectuer le matin consistait à sortir la trousse d'urgence pour panser les blessures de ceux qui se faisaient tabasser par des camarades ou par leurs propres parents.

D'un point de vue conventionnel, les réalisations de Jeff sont plutôt modestes – il est incapable de secourir tous ses élèves et nombreux sont ceux qui quittent l'école sans qualifications officielles. Mais Jeff s'attarde à ceux qu'il *peut* aider, et non à ceux pour qui il ne peut rien, et ses yeux s'illuminent chaque fois qu'il raconte un épisode au cours duquel il a pu influencer le cours des choses difficiles que pouvaient vivre certains de ses élèves. Il serait difficile de trouver un meilleur exemple de quelqu'un qui éprouve de la satisfaction à aller au bout de ses intentions.

Voilà les types de personnes que j'admire le plus. Selon moi, ils ont réussi dans le plus pur sens du terme, parce qu'ils ont une vision de leur vie. Cette vision leur donne leur charisme, leur joie, et leur procure leur intention et leur passion, tandis que leur réussite et leur réalisation proviennent de cette passion. Voilà ma définition de la réussite.

Je crois sincèrement que le niveau de bonheur et de contentement d'une personne est directement proportionnel à la force de son intention (volonté). Ce qui peut donner lieu à une hiérarchie comme celle-ci :

1. Au bas, il y a la personne qui n'a rien à faire et nulle part où aller. Ces gens peuvent passer la majorité de leur temps affalé sur le canapé, à regarder la télévision, ou alors à déambuler dans les centres commerciaux en regardant des choses qu'ils n'achèteront jamais. De telles personnes n'ont rien pour meubler leur présent et n'ont rien à espérer de l'avenir.

2. Au deuxième niveau se trouve la personne qui court après l'autobus. Pendant ces quelques moments passés à courir après le bus, elle n'a pas le temps de réfléchir à l'avenir parce qu'elle est concentrée sur le moment présent.

3. Au troisième niveau se trouve la personne qui envisage avec plaisir un événement qui se passera plus tard dans la journée. Ce qu'elle fait dans le présent peut la satisfaire ou non, mais son ennui est atténué par l'anticipation du plaisir à venir.

4. La personne qui se trouve au quatrième niveau est occupée à planifier quelque chose d'important ou d'excitant qui doit avoir lieu dans une semaine ou deux – une grande soirée, une entrevue pour un poste convoité ou l'achat d'une nouvelle voiture. L'anticipation d'un tel événement final lui donne un but provisoire, et elle éprouvera un vrai plaisir à effectuer les tâches à accomplir d'ici là.

5. Au cinquième niveau se trouve la personne qui donne le maximum pour réaliser quelque chose de merveilleux dans

un an ou deux – une nouvelle carrière, ou la fondation d'une entreprise, un mariage, ou un premier enfant. Quelle que soit la nature de la chose, elle désire tellement cette chose qu'elle se sent grandir en tant que personne à force de surmonter les obstacles qui jalonnent son chemin. Et c'est ainsi que vivent, d'un défi à l'autre, la majorité des gens heureux qui ont réussi. Mais un niveau supérieur est encore possible.

6. Au sommet de ma *hiérarchie de l'intention* se trouvent des gens comme Pete Egoscue, Dick Morrissey, Heather et Jeff – des gens qui ont *un sens de l'intention* qui dure toute une vie, des gens qui ont l'impression d'avoir une mission à accomplir, une mission si forte qu'elle les inspire à devenir extraordinaire. Bien sûr, ce sont ces gens que j'admire le plus.

Alors, quelle est votre intention ? Surtout, ne vous en faites pas si vous ne l'avez pas encore découverte. Nous ne naissons pas tous en connaissant d'emblée le sens de notre propre vie. *Le sens de l'intention* peut être découvert à n'importe quel moment de la vie, et certaines personnes le découvrent plus tard que d'autres. Un des plus beaux exemples est celui de ce politicien déchu qui, rendu à l'âge de 65 ans, avait passé plusieurs années « sur la banquette arrière ». Son nom était Winston Churchill.

Il n'est jamais trop tard pour découvrir *votre sens de l'intention.* Le trouver pourrait prendre un certain temps, mais vous saurez lorsque vous l'aurez trouvé, puisque, contrairement aux autres réussites matérielles, il vous procurera un sentiment profond de satisfaction à chacune des étapes de son évolution. Il vous poussera à réaliser l'impossible et vous inspirera la détermination de surmonter les obstacles que vous rencontrerez sûrement. Il vous apportera peut-être aussi la réussite matérielle, mais au moment où cela se produira, ce ne sera plus aussi important qu'auparavant. En fait, une des meilleures façons de mesurer votre *sens de l'intention* est de vous demander : « Est-ce que je continuerais de vivre de cette façon si je pouvais faire autrement ? » Si vous êtes en mesure de répondre « oui », alors vous avez trouvé votre *sens de l'intention*. Sinon, il vous faut lire le prochain chapitre.

CHAPITRE 2

Comment découvrir ce que vous voulez vraiment

Ce n'est pas moi qui ai eu l'idée du besoin d'une vision ou d'un sens de l'intention. L'histoire est truffée de références à ce sujet. Qu'il s'agisse de la mythologie grecque, de la philosophie ou de la Bible, on retrouve constamment des références au sujet du pouvoir de la volonté (intention). Et malgré cela, peu de gens possèdent une *vision* de leur vie. La majorité flotte comme un morceau de bois de grève sur une rivière. Leur trajet est interrompu par chacune des roches, chacun des remous et chacun des courants qui parsèment leur chemin, tandis qu'avec mélancolie ils espèrent aimer l'endroit où ils se retrouveront et en récolter quelques belles expériences durant le parcours.

Alors, quel est votre but ? Quelle est votre passion ? Quelle est votre vision de l'avenir ?

Vous vous dites peut-être « Je ne sais pas ». Alors, ne vous en faites pas, il s'agit d'une réaction très normale. Dans ce chapitre, je vais vous entretenir d'un processus qui vous aidera à découvrir votre but à atteindre. Mais avant, je vous demanderais de prendre quelques minutes pour faire un autre exercice.

Écrivez, dans votre cahier, une liste de toutes les choses que vous ne voulez *pas* dans votre vie future. Par exemple :

- Je ne veux pas être pauvre.
- Je ne veux pas être seul.
- Je ne veux pas être malheureux.

Vous constaterez probablement que ce que vous voulez est à l'opposé de ce que vous ne voulez pas. D'où que rédiger l'antithèse de la liste que vous venez de rédiger – à savoir ce que vous ne voulez pas – serait certes un bon moyen de commencer à découvrir ce que, au contraire, vous voulez vraiment.

Malheureusement, la plupart des gens ne prennent pas la peine de faire cela. Ils se concentrent plutôt sur ce qu'ils ne veulent *pas*. Laissez-moi vous démontrer à quel point cela peut être dangereux.

- Levez-vous et tenez-vous droit, les pieds collés l'un contre l'autre.
- Laissez les bras de chaque côté de votre corps.
- Imaginez-vous maintenant que vous êtes debout sur le bord d'une falaise élevée et que le vent hurle autour de vous. Imaginez que vous êtes à des centaines de pieds au-dessus de la mer et que les vagues se fracassent sur les rochers que vous apercevez tout en bas.
- Imaginez ce qui se passerait si vous perdiez l'équilibre et tombiez de la falaise. Votre corps se fracasserait certainement sur les rochers, lui aussi.
- J'aimerais maintenant que vous fermiez vos yeux et que vous vous concentriez pour veiller à *ne pas* vaciller. Gardez les yeux fermés pendant toute une minute et continuez à vous répéter constamment : « Ne vacille pas. »

Concentrez-vous sur ce qui se produirait si vous tombiez au bas de la falaise, et continuez à vous répéter tout haut : « Ne vacille pas, ne vacille pas, ne vacille pas. »

J'utilise fréquemment cet exercice durant mes séminaires et je dois souvent l'interrompre, car les gens se mettent à vaciller tellement fort que j'ai peur qu'ils ne tombent et se blessent !

Pourquoi cela se produit-il ? Parce que votre sens de l'équilibre est contrôlé par votre subconscient, et non pas par votre esprit conscient. Les psychologues nous disent que le subconscient est environ 30 000 fois plus puissant que le conscient. Il contrôle presque tout ce que nous faisons. Il contrôle notre respiration, les battements de notre cœur, notre équilibre et il contrôle et traite nos pensées. Si une lutte s'engage entre le conscient et le subconscient, ce dernier gagnera toujours.

Laissez-moi vous le prouver. J'aimerais que vous demandiez à votre conscient de ne pas penser à des éléphants. Donc je vous dis : « Ne pensez pas à des éléphants. » Bannissez ces bêtes de vos pensées immédiatement. « Ne pensez pas aux éléphants. » Alors ? À quoi pensez-vous maintenant ? Cela aurait-il, par hasard, quatre pattes et une trompe ?

Comme je vous l'ai dit, dans toute lutte entre le conscient et le subconscient, le subconscient l'emportera toujours. Et cela représente l'une des grandes métaphores de la vie. Si vous essayez de ne pas penser à des éléphants, vous ne songerez à rien d'autre. Si vous vous concentrez pour ne pas vaciller, vous vacillerez tellement que vous risquerez même de tomber. Selon vous, que pourrait-il se produire si vous vous concentriez sur le fait de *ne pas* être gros, de *ne pas* être pauvre ou de *ne pas* être seul ? Je vous laisse deviner.

CONCENTREZ-VOUS SUR CE QUE VOUS VOULEZ

Que pouvez-vous faire pour empêcher votre subconscient de divaguer ? Que pouvez-vous faire pour accomplir davantage de ces choses que vous désirez accomplir ? C'est très simple : il vous suffit de vous concentrer sur ce que vous voulez plutôt que sur ce que vous ne voulez *pas*, tout simplement. C'est là le secret des gens qui réussissent.

Cela vous paraît assez simple, n'est-ce pas ? Mais comment y arriver, vous dites-vous ? Je vais vous guider dans un exercice que vous allez maintenant faire et qui vous aidera à débuter. Il s'agit d'un des exercices les plus importants de ce livre. Afin que vous puissiez en retirer tous les bénéfices, je vous suggère de le lire en entier avant de le faire.

VOTRE FÊTE D'ANNIVERSAIRE

Lorsque vous aurez lu les instructions ci-dessous, je vous demanderais de vous lever et de fermer vos yeux. (Il est important de bien fermer les yeux afin de vous isoler des distractions de votre environnement.)

- Les yeux fermés, j'aimerais que vous vous imaginiez dans une capsule en verre qui peut voyager dans le temps et qui peut vous projeter plusieurs années dans l'avenir. Imaginez-vous que vous voyagez à travers le temps, à travers demain, la semaine prochaine, l'année prochaine et ainsi de suite, jusqu'à ce que vous vous rendiez à dans dix ans.
- C'est votre anniversaire et vous avez organisé une fête. Il s'agit d'une grande soirée et tous vos amis sont présents. Tous les gens qui sont importants pour vous se sont réunis pour célébrer votre vie jusqu'à maintenant. Jetez un regard parmi les convives. Qui voyez-vous ? Votre épouse ou mari ?, ou votre conjoint/e ? Vos parents ?

Vos enfants ? Vos frères et sœurs ? Vos amis ? Vos collègues de travail ?

- Chacune de ces personnes fera un discours sur votre vie et sur vos réalisations. Réfléchissez sérieusement à ce que vous voudriez que chaque personne dise de vous.
- Commencez par quelqu'un avec qui vous travaillez. De qui s'agit-il ? Qui voyez-vous ? Est-ce votre patron, un collègue, un employé ou un client satisfait ? Imaginez-vous clairement le visage d'une personne. Alors, que voudriez-vous que cette personne dise au sujet de votre carrière ? Qu'en avez-vous fait ? Quel travail avez-vous choisi ? Où êtes-vous rendu ? De quelles réalisations êtes-vous le plus fier ? Comment vous sentez-vous par rapport aux réalisations de votre carrière ? Que voudriez-vous que cette personne dise de vous ? Dans quelques minutes, vous allez écrire tout cela, alors assurez-vous de bien visualiser la personne en question dans votre esprit.
- Votre conjoint/e sera la prochaine personne à parler. Si vous êtes déjà engagé dans une relation, imaginez-vous clairement le visage de votre conjoint/e dans dix ans. Si vous êtes célibataire, alors imaginez le ou la conjoint/e idéal/e. De quoi a-t-il ou a-t-elle l'air ? Comment vous sentez-vous lorsque vous la ou le regardez ?
- Que souhaitez-vous que votre conjoint/e dise de votre relation ? Que voudriez-vous qu'il/elle dise de votre vie ensemble, des expériences que vous partagez ? Comment lui démontrez-vous votre amour ? De quelles réalisations êtes-vous le plus fier ? Quelles expériences avez-vous le plus aimées ? Comment aimeriez-vous vous sentir concernant votre relation ? Dans un moment, vous allez écrire ce que vous voudriez que votre conjoint/e dise, alors concentrez-vous sur ce qu'il ou elle dit de vous.

- La troisième personne qui parlera est votre meilleur/e ami/e. Imaginez-vous clairement votre meilleur/e ami/e dans dix ans, ou alors la personne que vous aimeriez avoir comme amie.
- Que voudriez-vous qu'il ou elle dise de vous ? Que souhaiteriez-vous qu'il/elle dise de votre amitié ? Quel genre d'ami avez-vous été ? Quel genre d'ami auriez-vous aimé être ? Vous allez bientôt écrire ce qu'il ou elle dit de vous, alors imaginez-vous cette personne bien clairement dans votre esprit.
- La dernière personne à parler sera votre mère, votre père ou votre tuteur. Voyez clairement dans votre esprit comment sera votre mère, votre père ou votre tuteur dans dix ans. Si vos parents sont décédés, souvenez-vous d'une photo préférée ou imaginez-les de la manière que vous aimez vous en souvenir.
- Que voudriez-vous que votre mère ou que votre père dise de vous lors de cette soirée d'anniversaire ? Ne pensez pas à ce qu'ils ont pu dire de vous par le passé. Concentrez-vous sur ce que vous aimeriez les entendre dire maintenant. Que voudriez-vous qu'ils disent au sujet de votre vie actuelle ? Avez-vous accompli quoi que ce soit dont ils puissent être fiers ? Comment vous sentiriez-vous de savoir que vos parents sont fiers de vos réalisations ? Laquelle de vos nombreuses réussites attire leur attention en ce moment ? Jusqu'à maintenant, qu'est-ce que cela vous fait de recevoir cet hommage à votre vie ?
- La meilleure façon de faire cet exercice est de prendre une personne à la fois. Fermez vos yeux (très important) et réfléchissez, pendant au moins deux minutes, à ce que vous aimeriez que votre patron ou votre collègue

de travail dise de vous. D'ailleurs, vous pourriez faire jouer de la musique douce pendant l'exercice. Ainsi, après avoir passé au moins deux minutes, les yeux fermés, à réfléchir à ce que cette personne dit de vous, ouvrez vos yeux et passez au moins deux autres minutes à transcrire le tout. Si vous ne savez pas quoi écrire, fiez-vous à votre instinct et écrivez la première chose qui vous vient à l'esprit, en utilisant rien de moins que la puissance de votre subconscient.

- Après vous être assuré que vous avez tout bien transcrit, passez ensuite à votre conjoint/e. Passez au moins deux minutes, les yeux fermés, à vous imaginer votre conjoint/e et à penser à ce que vous aimeriez qu'il ou elle dise de vous – non pas ce que vous croyez qu'il ou elle dirait, mais ce que vous aimeriez vraiment qu'il ou elle dise.
- Faites la même chose avec l'hommage de votre meilleur/e ami/e.
- Terminez en écrivant ce que vous aimeriez que votre mère, votre père ou votre tuteur dise en guise de célébration de vos réalisations durant ces dix années.

Il vous faudra au moins une demi-heure, peut-être même plus, pour réaliser cet exercice, mais si vous le faites correctement en ressentant de vraies émotions, je vous promets que sa puissance vous surprendra. Si vous ne disposez pas présentement d'une demi-heure, alors je vous suggère de déposer le livre et d'y revenir lorsque vous aurez le temps.

Je présume que vous avez maintenant complété l'exercice de la soirée d'anniversaire. Bravo ! Pour plusieurs personnes, cet exercice peut devenir très émouvant – certaines fondent même en larmes – mais la plupart estiment qu'il leur apporte beaucoup. Ce n'est que lorsque vous connaîtrez distinctement votre destination que vous pourrez entreprendre la planification du processus qui vous permettra de vous y rendre. Sans un net sens de l'intention, et sans direction, il est facile de passer sa vie à grimper lentement l'échelle de la réussite pour finalement se rendre compte, en arrivant en haut, que celle-ci n'était pas appuyée sur le bon mur. Quelle tragédie ce serait !

Qui vous contrôle ?

La plupart des participants qui assistent à mes séminaires retirent de grands bienfaits de l'exercice de la fête d'anniversaire, mais cet exercice n'est pas apprécié de tous.

Je n'oublierai jamais un incident qui s'est produit lors d'un séminaire que j'ai donné dans les Midlands, en 1998. Je venais de terminer l'explication de ce sujet lorsque leva sa main un homme, élancé, d'allure distinguée et au début de la cinquantaine.

« Vous avez une question ? », lui demandai-je.

« Ce n'est pas vraiment une question, me répondit-il, mais j'aimerais vous dire que personne ne me dit comment vivre ma vie. J'accepte chaque jour comme il se présente et je découvre ce que la vie me réserve. Je crois que toutes ces histoires de buts et d'objectifs sont de la foutaise. »

Lorsque vous vous adressez à des milliers de personnes comme je le fais chaque année, vous vous attendez à rencontrer de tels individus. De tels commentaires ne m'affectent pas de façon personnelle. J'ai donc remercié ce monsieur pour son commentaire, lui ai fait remarquer que la plupart des gens dans la salle trouvaient le sujet utile, et je lui ai dit que j'espérais qu'il trouverait plus intéressants certains des autres sujets du séminaire.

Il s'agissait d'un programme de deux jours et le lendemain matin, aussitôt que je me suis levé pour m'adresser à la foule, ce même individu leva de nouveau sa main.

« Vous avez une question ? », lui demandai-je de nouveau.

« Ce n'est pas vraiment une question. », me répondit-il.

Allez, on recommence, me dis-je à ce moment, en mon for intérieur.

« Je voulais simplement vous dire, continua-t-il, que je suis retourné chez moi hier soir et j'ai raconté à ma femme ce que nous avions fait durant la journée. Je lui ai dit que je trouvais que toutes ces histoires de buts et d'objectifs étaient de la foutaise. Sans dire un mot, elle est montée à l'étage et est redescendue avec un gros carnet de notes. Sur la couverture étaient écrits les mots *Le livre des objectifs de Christine*. À l'intérieur, il y avait des pages et des pages d'objectifs. Sans que je sois au courant, elle écrivait ses objectifs depuis des années. »

Cette partie de l'histoire était amusante, mais ce qu'il nous dit, par la suite, provoqua un éclat de rire général dans la salle.

« En feuilletant les pages du livre, je n'en croyais pas mes yeux. Tout ce que nous avions accompli ensemble, tout ce dont nous avions parlé, toutes nos décisions importantes, tout était inscrit dans ce livre. Les vacances à Venise de l'année dernière, la décision d'avoir un troisième enfant, la construction de la rallonge de la maison, la décision que ses parents viennent habiter avec nous – toutes ces choses que je croyais être mes idées étaient écrites dans ce livre. Il est donc évident qu'elle contrôle ma vie depuis des années ! »

Voilà pourquoi la détermination des objectifs est si importante. Vous n'avez peut-être pas de plan de vie, mais vous pouvez être certain que quelqu'un d'autre en a un pour vous ! Il peut s'agir de n'importe qui, par exemple votre conjoint, ou alors d'un parent qui décide que vous devriez plutôt prendre ce travail ou plutôt épouser cette personne. La pression de vos pairs peut aussi influencer ce que vous faites de votre vie. Mais les pires sont les publicitaires ou les médias qui dépensent des centaines de millions de dollars par année pour nous convaincre que la clé du bonheur réside dans l'achat de cette voiture, de cette montre ou de cette paire de jeans. Si vous ne prenez pas le temps de découvrir votre propre sens de l'intention, vous serez comme un aspirateur géant qui aspire toutes les idées qui passent. Vous devez absolument trouver votre propre sens de l'intention avant que quelqu'un d'autre ne vous impose le sien !

Plusieurs personnes acquièrent leur sens de l'intention en complétant l'exercice de la « fête d'anniversaire ». Si vous avez acquis le vôtre, je vous suggère de déposer dès maintenant ce livre et d'aller célébrer. Vous venez de faire une découverte qui va changer le cours de votre vie.

Mais ne vous inquiétez pas si vous n'avez pas encore acquis votre sens de l'intention. Vous pouvez répéter cet exercice à nouveau lorsque vous en avez envie et, chaque fois, vous découvrirez de nouvelles choses sur vous-même. Vous ferez peut-être une découverte dans quelques minutes ou le mois prochain, que ce soit en prenant votre bain ou lavant la vaisselle. D'autre part, vous découvrirez peut-être votre but à moyen terme, par exemple trouver un nouveau travail, qui servira de tremplin pour la découverte de votre but ultime.

Certaines personnes ont plus de difficulté que d'autres à acquérir leur *sens de l'intention*. Cependant, je sais pertinemment que si vous continuez à poser les bonnes questions vous finirez par réussir. Ce n'est qu'une question de patience et de persévérance.

Cependant, même si le dernier exercice vous a aidé à acquérir votre *sens de l'intention*, voire découvrir le sens de votre intention intime, les images produites seront plutôt vagues et distantes. Vous avez maintenant besoin de buts concrets pour vous guider dans votre vie de tous les jours, et c'est précisément ce que nous allons voir dans le prochain chapitre.

CHAPITRE 3

Comment définir des buts qui vous inspirent vraiment

Chaque fois que je parle de détermination des objectifs avec un public de gens d'affaires, les gens viennent me voir après la conférence et me posent la même question : « Mais pourquoi ne nous a-t-on pas appris cela à l'école ? »

Afin d'aborder le problème, j'ai créé, en juin 2001, un organisme séparé et sans but lucratif, la Fondation Adam Walker, et je passe maintenant une bonne partie de mon temps à présenter des séminaires à des adolescents sur la détermination des objectifs. Ces séminaires scolaires sont les plus exigeants que je donne – les adolescents ne perdent pas de temps à vous le faire savoir lorsqu'ils n'aiment pas quelque chose. Ils m'apportent cependant la plus grande satisfaction. Plusieurs des participants de mes séminaires s'adressant aux gens d'affaires ont passé dix, vingt ou parfois trente ans à grimper l'échelle de la réussite pour finalement s'apercevoir qu'elle n'était pas du tout appuyée sur le bon mur. C'est la raison pour laquelle cela est un réel privilège de pouvoir enseigner la détermination des objectifs à des gens qui ont toute la vie devant eux.

Je commence toujours mes séminaires scolaires de la même façon. Je demande aux gens de se lever s'ils ont au moins un but qu'ils aimeraient réaliser dans l'avenir. Presque tous se lèvent. Puis je demande de rester debout à ceux qui ont écrit cet objectif quelque part. Généralement, 75 % des participants se rassoient. Je demande alors à ceux qui sont debout de le demeurer s'ils lisent leur but au moins une fois par jour. Presque tous se rassoient. S'il y a encore quelques élèves debout, je leur demande s'ils ont leur objectif « écrit » en leur possession. À peine 1 personne sur 1000 peut me montrer la transcription de ses objectifs.

Je leur raconte ensuite l'histoire de la façon dont j'ai commencé à m'intéresser à la détermination des objectifs. J'avais 22 ans et je n'avais jamais eu de but dans la vie. Je me laissais aller et je prenais chaque jour comme il venait. Je finis donc par perdre tout intérêt pour mon travail scolaire et je me suis retrouvé dans un travail sans avenir avec un salaire minable, vivant dans une vieille maison humide que je louais. J'avais une attitude assez négative face à la vie et je passais mon temps à critiquer les gens qui possédaient plus de choses que j'en avais moi-même. « C'est facile pour lui : il a dû tout avoir sur un plateau d'argent », me disais-je lorsque je voyais quelqu'un passer dans une voiture sport dispendieuse. Je n'avais jamais connu la réussite. J'étais complètement désillusionné quant à ma vie et je me sentais frustré, en colère et plein de rancœur. Puis, comme si les choses n'allaient pas déjà assez mal, ma copine me laissa – mais à bien y repenser, je ne la blâme pas. Je suis alors tombé dans un grand trou noir de désespoir. J'ai cessé de sortir et j'ai laissé les problèmes s'empiler autour de moi. J'avais l'impression que l'univers au complet était contre moi. J'avais atteint le fond du baril.

Mais quelqu'un, là-haut, devait me surveiller. Un jour, après avoir passé environ un mois à m'apitoyer sur mon sort, je sortis acheter un sandwich. Il y avait une librairie de livres usagés à côté du commerce de sandwichs. Une table jonchée de livres se trouvait à l'extérieur de la librairie et j'aperçus, au-dessus d'une des piles, un livre jaune intitulé *Comment obtenir ce que vous voulez dans la vie*. Sur l'impulsion du moment, je l'achetai.

Aussitôt que je commençai à le lire, je sus que ce livre avait été écrit tout spécialement pour moi. Dans un des premiers chapitres, on y racontait l'histoire d'une étude qui avait été effectuée en 1953, à l'université Yale, l'une des meilleures des États-Unis. Un chercheur avait été embauché pour demander aux gradués de la classe de 1953 ce qu'ils comptaient faire de leur avenir. Une des questions posées aux gradués était : « Avez-vous transcrit quelque part vos buts pour l'avenir ? » Même si ces jeunes étaient parmi les étudiants les plus intelligents et les plus privilégiés de l'Amérique, seulement 4 % d'entre eux avaient écrit leurs objectifs.

Vingt ans plus tard, ce chercheur fut embauché pour retrouver les membres survivants de cette classe afin de savoir ce qu'ils avaient finalement fait de leur vie. À son grand étonnement, il constata que ceux qui avaient écrit leurs buts vingt ans plus tôt étaient devenus trente fois plus riches que ceux qui n'avaient rien écrit. En fait, la valeur nette des 4 % (qui avaient écrit leurs objectifs) dépassait la valeur nette des 96 % qui n'avaient aucun but, du moins pas par écrit. Mais il est important de noter que les 4 %, qui avaient transcrit leurs buts sur papier, semblaient plus heureux dans d'autres sphères non matérielles de leur vie. Par exemple, ils disaient avoir une meilleure santé, des relations de meilleure qualité et un plus grand sens d'accomplissement que ceux qui n'avaient pas écrit leurs objectifs.

J'étais hypnotisé par cette histoire. Je pris congé de mon travail le lendemain et je passai la journée à écrire tout ce que je voulais accomplir dans la vie. Je me sentais soudainement envahi d'un enthousiasme que je n'avais jamais ressenti auparavant. J'écrivis des pages et des pages au sujet de mes objectifs, de mes espoirs et de mes rêves pour l'avenir, incluant certains très grands rêves qui semblaient impossibles à réaliser à l'époque.

Et devinez quoi : ces rêves commencèrent à se réaliser comme par magie. Par exemple, j'ai laissé cette horrible maison, j'ai obtenu un meilleur travail, plus rémunérateur, et j'ai même réussi à payer toutes mes dettes. Six ans plus tard, j'avais réalisé chacune des choses que j'avais inscrites sur cette liste :

- J'avais rencontré et épousé ma femme
- J'avais acheté une superbe maison
- J'avais atteint une sécurité financière
- J'avais trouvé une carrière que j'adorais

Le fait de déterminer des objectifs a transformé ma vie, bien que j'aie passé des années à regretter ces années gaspillées entre l'âge de 16 et 22 ans, pendant lesquelles je ne faisais que me laisser aller à la dérive de la vie sans aucun objectif, sans but et sans passion. Mais, maintenant, je ne regrette plus tellement d'avoir gaspillé ces six années, car je réalise qu'elles m'ont donné ce point de comparaison dont j'avais besoin pour apprécier toutes les merveilleuses choses qui enchantent ma vie maintenant. Cependant, une partie de moi aimerait bien ravoir ces années pour les revivre.

Toutefois, je m'estime chanceux car j'ai découvert mon *sens de l'intention* à l'âge de 22 ans. Je rencontre souvent des gens dans la quarantaine, la cinquantaine, ou même la soixantaine, qui ont passé toute leur vie à planer sans se jamais poser et à espérer que ce que demain leur apportera leur sera bénéfique, ou, pire encore, qui ont connu la « réussite » pour finalement réaliser qu'ils ne ressentent pas la satisfaction recherchée. C'est la raison pour laquelle j'ai créé la Fondation Adam Walker : pour présenter aux gens le concept de la *détermination des objectifs* avant qu'ils ne passent vingt ans à gravir la mauvaise échelle. Le fait de présenter le concept de la *détermination des objectifs* aux 96 % de la population est devenu ma passion et je n'aurai de cesse que lorsque la *détermination des objectifs* sera devenue un sujet enseigné dans les universités, au même titre que la lecture et la rédaction.

DÉTERMINEZ VOS OBJECTIFS

Regardons maintenant comment vous pouvez déterminer des objectifs pour votre vie, qui non seulement vous inspireront mais vous apporteront aussi un profond sentiment de satisfaction et d'accomplissement. La clé de cette réussite consiste à préserver un bon équilibre entre les différentes sphères de votre vie. Au cours des années, j'ai rencontré tellement de gens malheureux parce qu'ils poursuivaient un but aux dépens de tous les autres. En voici quelques exemples.

J'ai une cliente que nous appellerons Sarah, qui a bâti une entreprise qui jouit maintenant d'une grande réussite et qui, aujourd'hui, vaut au moins 4 millions de dollars. Pendant plus de vingt ans, Sarah a travaillé plus de soixante-dix heures par semaine pour bâtir son entreprise. Aujourd'hui, elle jouit de tous les avantages marginaux de la réussite : une belle maison, une voiture exotique et des vêtements de haute gamme. Mais elle a acquis sa réussite au prix (lourd) de sa vie personnelle. En effet, âgée de 47 ans, Sarah est célibataire, sans enfant et souvent seule. Avec le recul, elle admet qu'elle aurait échangé avec joie une grande partie de sa réussite contre un conjoint et une famille qui l'aiment.

J'ai un autre client, appelons-le Bernard, qui a le même âge. Bernard est un homme riche, mais sa réussite lui a coûté cher.

Tout comme Sarah, il a travaillé plus de soixante-dix heures par semaine pendant de nombreuses années. À cause d'une pression incessante, d'une mauvaise alimentation et d'un manque d'exercice, il a subi une crise cardiaque à l'âge de 45 ans. Mais il n'y a pas que sa santé qui ait souffert. Travaillant pendant de longues heures, voire de longues semaines, sa femme et ses enfants sont, en quelque sorte, devenus des étrangers pour lui. Il m'a récemment avoué à quel point il regrette de ne pas avoir vu ses enfants grandir et à quel point il a peur qu'il soit maintenant trop tard pour rattraper le temps perdu. Ces deux personnes sont riches, mais ont-elles vraiment connu la réussite ? Aucune des deux ne retire beaucoup de satisfaction de sa réussite. Or, j'estime que la réussite sans satisfaction est plutôt un échec.

À l'autre extrême, un de mes clients emploie un gérant, appelons-le Paul, qui semble avoir une vie de famille des plus merveilleuses. Il a une épouse qu'il adore et quatre enfants qui le vénèrent. Paul soupe à la maison avec sa famille tous les soirs et passe ses fins de semaine à faire des activités avec ses enfants. Mais il en a payé le prix avec sa carrière. À 54 ans, Paul a un emploi qu'il peut faire les yeux fermés et il a peu de chances d'avancement. Il m'a confié, lors d'un séminaire de gestion, qu'il enviait parfois son jeune frère qui occupe un poste prestigieux et stimulant au centre-ville.

Connaissez-vous quelqu'un comme Sarah, Bernard ou Paul, à savoir quelqu'un qui a connu la réussite dans une sphère de sa vie au détriment des autres ? Prenez un moment pour réfléchir aux conséquences que ce genre de situation a pu provoquer chez eux et chez les gens qui les entourent.

Peu de gens savent équilibrer leur carrière et leur vie de famille. Malheureusement, au moment où je les rencontre, il est souvent trop tard. Voilà le second objectif de la Fondation Adam Walker : encourager les jeunes gens à établir des objectifs *équilibrés* pour leur vie, dès le début.

Au cours des 15 dernières années, j'ai eu le plaisir de travailler avec des milliers de personnes et j'ai constaté que les gens heureux équilibrent leurs objectifs dans divers secteurs. Je vous suggère donc de dresser une liste de vos objectifs de vie, en les répartissant dans au moins dix catégories différentes que voici :

- Objectifs financiers
- Objectifs de carrière
- Objectifs intellectuels
- Développement physique
- Développement émotionnel
- Relations intimes
- Environnement de vie
- Vie sociale
- Plaisir, passe-temps et aventure
- Contribution

Regardons maintenant chacun de ces secteurs en détail.

Objectifs financiers

Je vous demanderais d'abord de réfléchir à des objectifs spécifiques que vous désirez atteindre dans le secteur financier de votre vie. Même si l'argent n'est pas le facteur le plus motivant à vos yeux, nous avons tous néanmoins besoin d'argent pour vivre. En effet, si vous êtes constamment inquiet de manquer d'argent, il vous restera beaucoup moins de temps pour réaliser les choses qui vous importent vraiment.

- Commencez par écrire dans votre cahier de notes certains objectifs financiers à court terme, c'est-à-dire les choses que vous voudriez accomplir au cours du prochain mois.

- Puis pensez aux objectifs à plus long terme, par exemple les choses que vous voudriez accomplir au cours de la prochaine année.
- Puis pensez aux choses que vous aimeriez accomplir au cours des cinq prochaines années.
- Finalement, réfléchissez aux choses que vous aimeriez accomplir à très long terme, soit dans plus de cinq ans.

Si vous ne savez pas quoi écrire, écrivez simplement la première chose qui vous traverse l'esprit. Faites confiance à votre instinct – notre subconscient en connaît beaucoup plus que nous le pensons. Ne vous préoccupez pas, à ce stade-ci, de savoir si vos objectifs sont réalisables ou non. Ne vous inquiétez pas non plus de savoir s'ils sont dans la bonne catégorie – par exemple, l'objectif d'avoir suffisamment d'argent pour aller en vacances peut aller sous « Finance » ou « Plaisir, passe-temps et aventure ». La catégorie dans laquelle vous classez cet objectif importe peu. Les catégories ne servent qu'à vous faire réfléchir au plus grand nombre possible de choses.

La meilleure façon de faire cet exercice est de passer au moins cinq minutes par section. Essayez d'écrire sans vous arrêter. Le fait d'écrire de cette façon automatique est un excellent moyen de faire sortir certains éléments des profondeurs du subconscient. Écrivez maintenant vos objectifs financiers avant de continuer votre lecture.

Regardez maintenant la liste des objectifs que vous avez rédigée et posez-vous une autre question : « Ces objectifs sont-il suffisamment ambitieux ? » Il s'agit ici d'une question sérieuse. La plupart des gens constatent qu'un grand objectif les stimule cent fois plus qu'un objectif plus modeste. La loterie en est un excellent exemple. La plupart des semaines le gros lot se situe à environ 10 millions de dollars – un montant suffisant pour transformer la vie de n'importe qui. Cependant, il peut arriver, occasionnellement, qu'un gros lot atteigne 20 millions ou même 40 millions. Qu'arrive-t-il alors aux ventes de billets ces semaines-là ? Elles atteignent des niveaux record, et cela constitue un parfait exemple de la motivation humaine en général. Prenez donc un moment pour réviser vos objectifs et demandez-vous de nouveau : « Ces objectifs sont-il suffisamment ambitieux ? » Qu'écririez-vous si vous saviez qu'il vous est impossible d'échouer ? Écrivez aussi ces réponses.

Retournez maintenant à chacun de ces objectifs et inscrivez une date à laquelle vous aimeriez les avoir réalisés. Ne vous préoccupez pas outre mesure de la date ; inscrivez la première qui vous vient à l'esprit. Faites confiance à votre instinct. Prenez quelques minutes pour inscrire ces dates dès maintenant. Votre première feuille devrait ressembler à celle-ci :

Objectifs financiers	**Date de réalisation**
Objectifs à court terme (au cours du prochain mois) Rembourser les 200 $ que je dois à Jean	31 janvier
Objectifs à moyen terme (au cours de la prochaine année) Économiser de l'argent pour faire un voyage à Hawaii	31 décembre
Objectifs à long terme (de un à cinq ans) Acheter une maison	Avril 2007
Objectifs à très long terme (plus de cinq ans) Prendre ma retraite à l'âge de 50 ans et voyager à travers le monde	2035

Prenez un moment pour réviser chacun des objectifs de votre liste. Je vais maintenant vous demander de réfléchir à ces objectifs d'une façon très précise :

- Fermez vos yeux et imaginez comment vous vous sentiriez si vous aviez déjà réalisé tous vos objectifs.
- Tenez-vous de la façon dont vous vous tiendriez si vous aviez déjà atteint tous vos objectifs financiers.
- Respirez comme vous respireriez si vous aviez déjà réalisé tous vos objectifs.
- Voyez ou essayez de visualiser ce que vous verriez si vous aviez déjà réalisé tous vos objectifs.
- Dites ce que vous vous diriez si vous aviez déjà réalisé tous vos objectifs.
- Ressentez ce que vous ressentiriez si vous aviez déjà réalisé tous vos objectifs.

En prenant quelques minutes pour vous associer de cette façon avec vos objectifs, vous remarquerez que votre motivation de les réaliser augmentera exponentiellement. Prenez quelques minutes pour faire ceci avant de poursuivre votre lecture.

Comment vous êtes-vous senti ? Pas mal bien, n'est-ce pas ? Gardez donc ce merveilleux sentiment et passez rapidement à la seconde catégorie.

Objectifs de carrière

Le second secteur auquel je vous demanderais de réfléchir est votre carrière. Quel genre de carrière désirez-vous ?

- Réfléchissez à des objectifs spécifiques de carrière que vous voudriez atteindre. S'agit-il d'une nouvelle promotion ou d'un changement complet de carrière ? Qu'inscririez-vous ici si vous saviez que vous ne pouvez pas échouer ?

Écrivez-le. Les objectifs les plus élevés sont ceux qui ont le plus grand pouvoir de motivation.

- Prenez cinq minutes pour écrire tout ce à quoi vous pouvez penser dans ce domaine. Vous devriez avoir des objectifs à court, à moyen et à long terme. Tout comme auparavant, essayez d'écrire pendant au moins cinq minutes sans vous arrêter. Faites confiance à votre instinct.
- Maintenant, comme auparavant, prenez chacun de ces objectifs et inscrivez une date à laquelle vous aimeriez les avoir réalisés. Ne vous préoccupez pas outre mesure de la date, inscrivez la première qui vous vient à l'esprit. Faites confiance à votre instinct. Si nécessaire, vous pourrez toujours changer les dates plus tard.
- Prenez maintenant quelques minutes pour réviser votre liste. Comment vous sentiriez-vous si vous aviez déjà réalisé tous vos objectifs ? Comment vous sentiriez-vous si vous aviez déjà accompli tout ce que vous vouliez pour atteindre votre carrière de rêve ?

Objectifs intellectuels

Le prochain domaine que j'aimerais que vous envisagiez est votre développement intellectuel. Les gens pensent souvent que leur développement intellectuel se termine le jour où ils sortent de l'école ou du collège. Ils ont tout à fait tort. Il est essentiel de continuer à vous stimuler intellectuellement tout au long de votre vie. Si vous ne le faites pas, votre cerveau s'atrophiera comme un muscle inutilisé.

De nombreuses personnes trouvent une certaine stimulation intellectuelle à travers leur travail. Mais si vous n'occupez pas un emploi exigeant intellectuellement, il existe plusieurs autres façons de stimuler votre esprit. Vous pouvez lire, écrire, avoir un passe-temps, ou passer du temps avec des amis stimulants.

Du moins, quel que soit votre choix, il est important de faire quelque chose qui mette au défi vos croyances actuelles et qui ajoute à vos connaissances.

Prenez le temps d'écrire tout ce que vous aimeriez réaliser dans ce domaine – les livres que vous aimeriez lire ou, peut-être, une certification professionnelle que vous aimeriez obtenir. Essayez de réfléchir aux choses que vous aimeriez accomplir au cours du prochain mois, de la prochaine année, voire même des cinq prochaines années et à très long terme.

Développement physique

J'aimerais maintenant que vous établissiez des objectifs pour votre développement physique. Beaucoup de gens négligent leur santé, mais, avouons-le, si vous ne faites pas attention à votre santé et à votre régime alimentaire, et si vous ne prenez pas le temps de faire régulièrement de l'exercice, vous ne pourrez pas réaliser toutes ces choses excitantes que vous avez inscrites dans les autres catégories. Tout au mieux, vous n'aurez pas suffisamment d'énergie, tandis qu'au pire, vous ne serez pas moins que mort.

- Réfléchissez à toutes les choses que vous aimeriez accomplir dans ce domaine de votre vie et inscrivez-les dans votre cahier. Pensez à votre régime alimentaire et à votre poids. Réfléchissez au temps que vous passez à faire de l'exercice. Pensez à votre apparence physique.

- Faites une liste de toutes les choses que vous aimeriez changer dans ce secteur. Tout comme précédemment, essayez d'écrire pendant au moins cinq minutes afin de faire ressurgir ces désirs enfouis au plus profond de votre subconscient.

Développement émotionnel

Ma cinquième catégorie est le développement émotionnel. Je rencontre un grand nombre de personnes qui sont handicapées par des problèmes affectifs, c'est-à-dire par le poids de leur passé et par des sentiments qui sont hors de leur contrôle. L'étendue de cette tristesse peut être assez dévastatrice. J'ai lu avec stupéfaction que 40 millions de personnes autour du monde prennent du Prozac quotidiennement. Uniquement au Royaume-Uni, 10 millions de personnes souffrent de dépression, un million souffrent de troubles de l'alimentation tels que l'anorexie ou la boulimie, et plusieurs autres millions sont aux prises avec, par exemple, des troubles d'excès de perfectionnisme, des phobies ou d'irréductibles sentiments de colère et de culpabilité. Et des dizaines de millions de personnes sont affectées, chaque jour, par des problèmes non résolus émanant de leur enfance, des problèmes qui continuent de brouiller leur vie d'adulte.

Les émotions telles que la peur, la colère, la culpabilité et l'amour ont toutes leur place dans nos vies, mais leur rôle est d'ajouter de la profondeur et de la texture à nos vies et non pas de les contrôler. Contrôlez-vous vos émotions ou vous contrôlent-elles ?

Écrivez tous les changements que vous voudriez effectuer dans ce secteur de votre vie. Par exemple :

- J'aimerais pouvoir mieux contrôler mes humeurs.
- J'aimerais ne plus ressentir de colère lorsque je pense à mon ex-mari/épouse.
- J'aimerais ressentir moins de culpabilité quant au fait de ne pas avoir fait la paix avec ma mère avant sa mort.

Si vous avez des problèmes sérieux dans ce domaine, les objectifs spécifiques que vous écrivez devront peut-être inclure l'engagement de consulter un professionnel de la santé mentale, formé pour vous aider à régler le problème qui vous trouble.

Les relations intimes

Ma prochaine catégorie concerne les relations intimes. Cette catégorie doit inclure les relations que vous entretenez avec votre mari, épouse ou conjoint, avec vos parents, vos enfants, vos frères et sœurs et les autres membres de votre famille immédiate.

Écrivez vos objectifs pour ce domaine spécifique. Quels seraient-ils ?

- Si vous êtes déjà engagé dans une relation, vous voudriez peut-être inscrire les choses que vous pourriez faire pour améliorer cette relation.
- Si vous êtes célibataire, vous pourriez inscrire les étapes que vous voudriez envisager pour trouver le partenaire idéal.
- Si vous avez des enfants, vous aimeriez peut-être inscrire certaines choses que vous pourriez mettre en œuvre pour améliorer votre relation avec eux.
- Si vous n'avez pas encore d'enfants et que vous en désirez, pourquoi ne pas écrire le nombre d'enfants que vous aimeriez avoir, et à quel moment ?

Lorsque vous écrirez vos objectifs, il est important de ne pas vous laisser influencer par les compromis ou, comme certains diront, par le « réalisme ». Écrivez ce que vous souhaiteriez vraiment accomplir. Écrivez les choses que vous feriez si vous saviez que vous ne pouvez pas échouer. Tous les objectifs sont inspirants, mais les grands objectifs le sont particulièrement.

Environnement de vie

La demeure dans laquelle nous vivons a un tel impact sur nos vies que je lui ai donné sa propre catégorie.

Imaginez dans votre tête votre demeure idéale.

- S'agit-il d'une maison ou d'un logement ?
- S'agit-il d'une propriété moderne ou de type ancestral ?
- Est-elle située à la campagne, dans une ville ou dans une grande métropole ?
- Comment est-elle meublée ?

Écrivez tout ce que vous souhaiteriez accomplir dans ce secteur à court terme, à moyen et à long terme.

Avant de continuer, prenez un moment pour vous imaginer comment vous vous sentiriez si vous habitiez déjà dans votre demeure idéale. Comment vous sentiriez-vous en arrivant chez vous et en voyant votre demeure toute illuminée le soir ? De quoi aurait-elle l'air, illuminée de soleil par un beau matin de printemps ou recouverte de neige par une froide journée d'hiver ?

Vie sociale

De retour au présent pour la huitième catégorie : votre vie sociale.

- Que souhaitez-vous accomplir dans ce secteur ?
- Avez-vous perdu de vue un être cher que vous aimeriez revoir de nouveau ?
- Aimeriez-vous connaître un plus grand nombre de personnes ? Si oui, que pourriez-vous faire pour y arriver ?
- Écrivez tout ce que vous aimeriez accomplir ou changer dans cette catégorie.

Plaisir, passe-temps et aventure

Ici, vous pouvez vraiment vous amuser !

- Écrivez toutes les choses que vous aimeriez faire – des sauts à l'élastique, du canotage en rapides, du ski, voyager en Mongolie, voir une vraie baleine, conduire une voiture de Formule 1, apprendre à piloter un avion...
- Écrivez toutes les choses que vous aimeriez faire ce mois-ci, cette année et plus tard dans votre vie, et inscrivez une date d'échéance à côté de chacune.

Il est surprenant de constater à quel point les gens ont de la difficulté à écrire leurs objectifs dans cette catégorie parce qu'ils estiment qu'il n'est pas bien de vouloir quelque chose uniquement pour soi-même. Cette attitude peut être dangereuse. Si vous vous privez de plaisirs personnels pendant trop longtemps, vous finirez par vous sentir aigri, et votre ressentiment commencera à affecter vos relations avec les personnes pour lesquelles vous sacrifiez vos plaisirs, notamment votre famille.

Nous avons tous le droit de nous amuser. Ne vous sentez pas coupable. Inutile de porter un cilice toute votre vie, personne ne vous en remerciera. Écrivez toutes les choses que vous aimeriez faire, les passe-temps que vous aimeriez pratiquer, les aventures que vous aimeriez vivre, et ensuite, assurez-vous de prendre le temps de les réaliser. (Vous découvriez comment au chapitre 6.)

Contribution

Voici un dernier domaine pour lequel je vous demanderais d'établir des objectifs, un domaine auquel bon nombre de personnes ne réfléchissent que lorsqu'elles ont atteint une certaine réussite dans tous les autres domaines de leur vie. Il concerne les objectifs spirituels et contributifs. De quelle façon pourriez-vous redonner, voire partager quelque chose aux autres ? Quel sera votre héritage ? Que pourriez-vous donner qui vous remplirait de fierté ? Il n'est pas nécessaire que ce soit de l'argent. Votre contribution pourrait se traduire en temps, en intérêt ou autre chose qui a une valeur importante aux yeux des autres.

Si je devais arranger mes dix catégories d'objectifs de façon hiérarchique, la catégorie des objectifs de contribution serait la première. Le fait que la plupart des hommes et des femmes ayant réussi dans le monde s'intéressent à la philanthropie plus tard dans leur existence, lorsque tous les besoins des neuf autres secteurs de leur vie ont été remplis, justifie cette décision. Ils s'intéressent aux autres parce qu'ils ont finalement compris que le fait d'aider les autres procure la plus grande satisfaction.

Si vous désirez véritablement ressentir une réelle satisfaction à la suite de vos réussites dans les neuf autres secteurs, vous devez être capable de vous poser chaque semaine une question et d'y répondre correctement. Cette question est : « Qu'ai-je fait pour aider les autres cette semaine ? »

- Alors, que pourriez-vous faire pour les autres ?
- Écrivez toutes les choses que vous aimeriez faire dans ce secteur à court terme, à moyen et à long terme et inscrivez des dates d'échéances.

Félicitations

Félicitations ! Vous faites maintenant partie de ce petit pourcentage de la population qui possède des objectifs écrits et je ne peux vous dire à quel point cela va changer votre vie. Je fais cet exercice chaque année depuis plus de vingt ans maintenant et j'ai actuellement une liste qui contient 36 pages de choses que je veux faire ainsi qu'un plan détaillé de la façon dont je vais m'y prendre pour les réaliser. Chaque fois que je lis cette liste, je me sens rempli d'enthousiasme.

J'ai aussi gardé tous mes vieux journaux intimes avec tous mes anciens objectifs qui remontent à plus de vingt ans et je ressens beaucoup de satisfaction chaque fois que je les relis. Je trouve très amusant de revoir tous ces objectifs que j'avais établis, il y a 5 ou 10 ou même 20 ans, et de réaliser où je suis maintenant rendu. Lorsque je lis ma liste d'objectifs, je me sens très fier de ce que j'ai accompli jusqu'à maintenant : je suis reconnaissant de ce que j'ai obtenu et je suis excité à l'idée de toutes ces choses qu'il me reste à accomplir. Par-dessus tout, mes objectifs me procurent un net sens de l'intention qui me permet d'accueillir chaque journée avec un réel intérêt et un enthousiasme certain. Bien sûr, j'ai fait quelques erreurs de parcours, mais mon *sens de l'intention* m'a toujours guidé, tel un compas, à travers les échecs et les revers que j'ai vécus et m'a aidé à faire les bons choix dans les périodes importantes de ma vie.

Vos dix principaux objectifs

Maintenant que vous avez votre liste d'objectifs, choisissez les dix principaux objectifs sur lesquels vous voulez vous concentrer au cours de la prochaine année. Relisez tous les objectifs que vous venez d'écrire, choisissez les dix qui ont le plus d'importance pour vous et inscrivez-les dans votre cahier de notes par ordre d'importance.

Il vous serait aussi utile de les écrire sur une grande feuille de papier et de les afficher à un endroit où vous pouvez les voir chaque jour. Cela vous servira d'aide-mémoire pour les choses auxquelles vous attachez actuellement le plus d'importance.

Votre énoncé de mission

Mais après ce parcours de vos dix objectifs, il vous faut maintenant un énoncé de mission, c'est-à-dire un énoncé qui relie toutes ces choses entre elles et qui vous donne ce *sens général de l'intention* qui guidera votre vie. Voici le mien :

> *Le but de ma vie est de vivre avec passion et intégrité, de me réaliser et d'influencer significativement et positivement la vie des autres.*

Voilà mon principe directeur et je mets tout ce que je fais à l'essai pour évaluer si cela m'aide à vivre en fonction de mon *énoncé de mission.*

Que devrait être votre énoncé de mission ? Pour réaliser votre énoncé de mission, vous devez vous poser des questions fondamentales telles que :

- Qu'est-ce que je veux faire de ma vie ?
- Pourquoi est-ce que je veux faire cela ?
- Qu'est-ce que cela m'apporte ?
- Quel genre de personne est-ce que je veux être ?
- Pourquoi est-ce que je veux être ce genre de personne ?
- Qu'est-ce que je veux donner ?
- Quel est le but de ma vie ?
- Pourquoi suis-je sur cette terre ?
- Quelle est ma mission ?

Extrait de la vidéo Sense of Purpose (To Leave a Legacy) *de Franklin Covey, utilisé avec la permission de Franklin Covey. Tous droits réservés.*

TROUVER VOTRE ÉNONCÉ DE MISSION

Le prochain exercice vous aidera à trouver votre énoncé de mission. Il est préférable de le faire au son d'une musique tranquille si possible ; je trouve que la musique de chambre classique est ce qu'il y a de mieux. Vous aurez aussi besoin de votre cahier de notes et d'un stylo, mais je vous suggère cette fois-ci de ne pas lire l'exercice à l'avance. Mettez de la musique, préparez votre cahier et votre stylo et lisez ensuite les questions suivantes et passez les cinq prochaines minutes à écrire tout ce qui vous passe par la tête en réponse à ces questions. Essayez de ne pas interrompre le flot de votre écriture afin de pouvoir atteindre vos pensées les plus profondes. Lorsque vous êtes prêt, tournez la page…

- La vie est courte. De quelle façon vivrez-vous la vôtre ?
- Qu'est-ce qui fait que votre vie vaudra la peine d'être vécue ?
- Que vous manque-t-il ?
- De quelle façon voulez-vous vivre ?
- Que voulez-vous apprendre ?
- Qui voulez-vous aimer ?
- Comment allez-vous démontrer votre amour ?
- De quelle façon se souviendra-t-on de vous ?
- Quel sera votre héritage ?
- De quoi rêvez-vous ?
- Quel feu vous habite ?
- Quelle est votre mission ?

Écrivez tout ce à quoi vous pensez en réponse à ces questions.

Extrait de la vidéo Sense of Purpose (To Leave a Legacy) *de Franklin Covey, utilisé avec la permission de Franklin Covey. Tous droits réservés.*

Bien fait, beaucoup de gens trouvent cet exercice très émotif, mais j'espère qu'il vous a aidé à exprimer une idée précise de ce que vous voulez accomplir. Vous avez maintenant en votre possession une collection de pensées décousues, mais je crois que plusieurs d'entre vous trouverez, parmi ces pensées, les choses qui vous tiennent vraiment à cœur, c'est-à-dire qu'elles vous inspirent une telle passion qu'elles vous donnent ce sens brûlant de l'intention.

Vous devez maintenant prendre ces pensées décousues et en extraire une jolie phrase ou deux, une phrase que vous pouvez mémoriser, une phrase qui englobe toutes ces choses que vous voulez accomplir, une phrase qui vous inspire réellement. Cette phrase sera votre *énoncé de mission*. Elle sera le feu de votre passion. Elle vous inspirera la passion, la vitalité et la joie dans tout ce que vous entreprendrez. Elle vous aidera à accomplir plus de choses, à vivre pleinement, à aimer davantage, à vous soucier davantage des autres, à être davantage vous-même et à jouir davantage de la vie, plus que les autres qui vous entourent.

- Prenez encore quelques minutes et essayez de rédiger une phrase ou deux qui reflètent l'essence de tout ce que vous venez d'écrire. Il n'est pas nécessaire qu'elle soit parfaite. Vous pourrez toujours l'améliorer plus tard. Prenez votre cahier et rédigez la meilleure phrase qui vous vient à l'esprit. Faites-le maintenant.

J'espère que vous avez réussi à écrire quelque chose, mais ne vous en faites pas si vous en avez été incapable. Parfois un énoncé de mission doit être pour ainsi dire découverte. Vous aurez peut-être une inspiration soudaine dans quelques jours. Ou alors ce sera un peu plus long. Toutefois, je sais que si vous continuez à vous poser les bonnes questions, alors tôt ou tard vous arriverez à écrire un énoncé de mission qui vous inspire vraiment.

Les avantages d'avoir une vision

Dans la seconde section de ce livre, nous allons voir ensemble la façon dont vous pouvez entreprendre l'acquisition de certains de vos principaux objectifs, mais avant, laissez-moi vous raconter une dernière histoire sur les avantages d'avoir une vision. Cette histoire ne concerne pas un chef d'état ou un homme d'affaires réputé. Elle concerne deux maçons qui ont vécu il y a 350 ans.

Un homme qui marchait sur une route rencontra un maçon. Il demanda à ce dernier ce qu'il faisait. « Je pose des briques », répondit le maçon. « Je pose cette brique par-dessus celle-ci et ensuite je pose une autre brique par-dessus. C'est ce que je fais : je suis maçon. »

L'homme continua sa route. Quelques mètres plus loin, il rencontra un second maçon. Le second maçon souriait et sifflait avec joie et travaillait avec le plus grand enthousiasme.

« Que faites-vous ? », demanda l'homme au second maçon.

« Je construis la cathédrale de Saint-Paul », répondit le second maçon. « Ce sera un des plus beaux édifices au monde et dans 350 ans, elle sera considérée comme un des plus beaux chefs-d'œuvre d'architecture britannique. »

Ces deux hommes effectuaient le même travail, mais lequel des deux aimait le plus son travail ? Le premier s'était probablement tiré du lit le matin en se disant « Oh, non, une autre journée ennuyeuse au travail ». Le second avait bondi de son lit avec entrain, enthousiasmé par la journée qui s'annonçait. Donc, la seule différence entre les deux est que l'un d'entre eux avait un *sens de l'intention* très clair.

DEUXIÈME PARTIE

ATTEINDRE VOS OBJECTIFS

CHAPITRE 4

Comment atteindre un but important

Je vous ai raconté plus tôt comment, à l'âge de 22 ans, j'ai rédigé ma toute première liste d'objectifs et comment, en quelques semaines, comme par magie, mes rêves ont commencé à se réaliser. À l'époque, je croyais qu'une force divine contrôlait mon destin. Mais j'ai découvert depuis une explication beaucoup plus scientifique. Il s'agit de ce que les psychologues appellent la « formation réticulée ». La formation réticulée représente la partie de notre cerveau qui décide de ce que nous remarquons dans une situation donnée. Laissez-moi vous donner un exemple de la façon dont cela fonctionne.

Il y a quelques mois, j'avais l'intention d'acheter une nouvelle voiture alors j'ai acheté un magazine qui mentionnait toutes les voitures disponibles. J'y ai trouvé un article sur la Bristol Motor Company. Cette entreprise ne produit que 200 voitures par année et je ne crois pas en avoir jamais vu une sur la route avant d'acheter ce magazine. Les photos de cette voiture étaient impressionnantes, alors j'ai commandé une brochure. Et vous savez quoi ? Dans la semaine qui a suivi, j'ai aperçu au moins trois Bristol dans les rues de Londres ! Coïncidence, magie ou la formation réticulée à l'œuvre ? Je sais ce que je crois.

Chaque minute de chaque journée, notre cerveau est bombardé de centaines de stimulus, et chacun d'entre eux désire notre attention. Dans une journée typique à Londres, j'aperçois littéralement des milliers de voitures, et elles doivent attirer mon attention ainsi que 10 000 autres choses – images de publicités, les passants, les feux de circulation, les panneaux routiers, la liste n'en finit plus. Mon cerveau fondrait sur place si je devais traiter toute cette information en même temps. La seule façon dont mon cerveau puisse s'en sortir est d'absorber l'information à un niveau subconscient, tel un pilote automatique. La formation réticulée vérifie ensuite constamment toutes les choses que mon cerveau a enregistrées dans son subconscient en fonction de toutes ces choses qui intéressent mon conscient. Lorsqu'une connexion se produit, elle envoie un message à mon conscient qui me permet de dire : « Oh, une autre Bristol ! Quelle coïncidence. »

Je suis certain que vous vivez régulièrement de telles expériences. Vous avez peut-être acheté un nouveau veston samedi dernier et, le lundi matin, vous avez remarqué une douzaine de personnes portant le même veston. Vous vous êtes peut-être inscrit à une session de parachutisme pour une œuvre de charité le mardi et vous constatez soudain que toutes les émissions de télévision, de radio, ainsi que les conversations qui vous entourent, portent sur le parachutisme. La formation réticulée est une force extrêmement puissante et tout ce que vous avez à faire pour qu'elle vous aide consiste à écrire vos rêves. C'est la raison pour laquelle la détermination des objectifs est une méthode d'une si grande puissance.

Mais certains objectifs ne peuvent être réalisés aussi facilement, c'est la raison pour laquelle, dans cette partie du livre, nous allons nous attarder à ce que vous devez faire pour atteindre votre objectif le plus ambitieux, le plus complexe et le plus important. Lorsque vous devez réaliser quelque chose de très grand, de complexe et d'important, il est essentiel que vous preniez le temps de planifier la façon dont vous allez vous y prendre pour atteindre votre objectif. Comme il m'est plus facile de vous expliquer le procédé que je veux vous partager maintenant à l'aide d'un exemple, je vais vous dire comment je l'ai utilisé pour atteindre un de mes objectifs majeurs, il y a quelques années.

J'ai commencé avec un but. Mon but était d'être parfaitement en forme. J'ai écrit : « Je serai rigoureusement en forme physiquement. Je serai quelqu'un qui déborde de santé, d'énergie et de vitalité. »

J'ai ensuite écrit l'état de la situation actuelle sur le sujet. J'ai honte de l'admettre, mais à l'époque j'avais une surcharge de poids de 63 lbs (30 kilos), causée par des années de la camelote dans les hôtels et un manque d'exercice. Mais le fait de dire que je n'étais pas en forme ne suffisait pas. Je savais que, pour connaître les éléments sur lesquels me concentrer, je devais être beaucoup plus précis. Afin d'accomplir ceci, j'ai dépensé une fortune en tests de tous genres. J'ai mesuré :

- Ma fréquence cardiaque au repos
- Ma fréquence cardiaque après trois minutes d'exercice
- Ma flexibilité et mon agilité
- Mon pourcentage de tissus adipeux
- Le contenu précis de mon régime alimentaire en matières grasses
- Mes niveaux de cholestérol
- Ma tension artérielle

J'ai été stupéfait par les résultats. J'avais plus que perdu la forme, j'étais mal en point et j'avais maintenant tous les tests pour le prouver.

Je me suis ensuite concentré sur les raisons pour lesquelles je devais faire des changements concernant cet aspect de ma vie. J'avais appris, à la suite de mes lectures sur la psychologie et le comportement humain, que si je ne trouvais pas de raison valable pour modifier mon comportement, je ne connaîtrais jamais la réussite. Les psychologues s'accordent concernant le fait que tout comportement humain est motivé par le désir d'éviter la douleur et d'accéder au plaisir. Il s'agit ici d'un principe qui nous avantage la plupart du temps. L'enfant qui fait ses premiers pas est récompensé par des éloges et une étreinte. Ainsi, l'enfant est encouragé à apprendre à marcher. Plus tard, l'enfant touchera un poêlon chaud et se brûlera. De cette façon, il apprendra à ne pas toucher aux choses qui sont chaudes.

Des problèmes peuvent toutefois survenir si la douleur ou le plaisir ne suivent pas immédiatement le comportement. Imaginez un enfant qui touche à un poêlon chaud en janvier, mais qu'il ne se brûle qu'en avril. Cet enfant toucherait probablement de nombreuses choses chaudes pendant cet intervalle de trois mois. Et lorsque sa main commencerait à le faire souffrir en avril, il n'associerait pas nécessairement la douleur au poêlon d'il y a trois mois.

C'est ce qui explique le fait que nous continuons quand même à faire des choses que nous savons être néfastes pour nous. Notre subconscient n'est tout simplement pas capable de faire le lien entre le plaisir que l'on ressent maintenant et la douleur qui surviendra dans quelques années. Si, dès l'instant où vous mettriez un gâteau à la crème dans votre bouche, votre abdomen enflait du double de sa taille normale, personne ne mangerait trop. Si, en allumant une cigarette, vous pouviez ressentir la douleur cuisante d'un cancer des poumons, personne ne fumerait. Évidemment, les choses ne se passent pas ainsi. Vous pouvez manger du gâteau à Noël et ne pas remarquer avant le printemps suivant que vos pantalons sont trop serrés. De la même façon, vous pouvez fumer une cigarette à 20 ans et ne ressentir la terrible douleur d'un cancer que trente ou quarante ans plus tard. Heureusement que je m'y connaissais suffisamment en psychologie pour être capable de faire le lien entre le comportement d'aujourd'hui et la douleur de demain. Voici comment j'y suis arrivé.

J'ai écrit toutes les conséquences les plus graves qui pourraient se produire si je persistais à ne pas être en forme. J'ai réfléchi à toutes ces choses que je ne pouvais pas faire parce que je n'étais pas assez en forme. J'ai réalisé à quel point mes vêtements ne m'allaient pas bien. Je me suis vu essoufflé en haut des marches d'un escalier. Puis j'ai délibérément envisagé des conséquences encore plus graves. J'ai imaginé comment je me sentirais si je faisais une crise cardiaque à l'âge de 40 ans, et je me suis imaginé la douleur que je ressentirais à la poitrine. J'ai imaginé le visage de mon épouse alors que je rendais l'âme et le regard de mes enfants alors qu'ils me disaient au revoir au-dessus de ma tombe.

J'ai continué à me « bombarder » des pires images possibles. Puis, je me suis imaginé que ces choses ne se produisaient non pas dans plusieurs années, mais dès maintenant. Le plus possible, j'ai condensé ces images dans mon esprit, en les grossissant et les éclairant jusqu'à ce que j'aie l'impression que ces choses se passaient au moment présent. J'ai alors ressenti une terrible douleur à la poitrine. J'ai vu le désespoir de ma femme, les larmes de mes enfants. J'ai vu toutes ces choses comme si elles étaient réelles. Le processus entier ne me prit qu'environ trente minutes, mais, après avoir terminé, j'avais une perspective complètement différente, voire renouvelée des raisons pour lesquelles je devais faire de ma santé une priorité majeure. En effet, une fois que la *raison motivante* est suffisamment importante, le « comment » devient beaucoup plus facile.

La prochaine étape consistait à envisager les stratégies spécifiques qui me permettraient d'atteindre mes objectifs. Il s'agissait de l'étape la plus facile. Je savais exactement quoi faire. La première stratégie consistait à modifier mon alimentation et la deuxième, à faire de l'exercice chaque jour.

Toutefois, je savais que plusieurs milliers de gens entreprennent un tel plan de mise en forme chaque année, et que, habituellement, ils n'arrivent pas à tenir leurs résolutions. Et je savais également que j'avais besoin d'inclure une étape supplémentaire dans mon processus. Cette étape consistait à écrire des jalons mesurables, c'est-à-dire toutes les petites étapes que je ferais chaque jour pour atteindre mon objectif. Je savais que cette étape était cruciale pour m'aider à garder le momentum et qu'elle m'inspirerait la motivation nécessaire afin que je puisse me rendre jusqu'au bout. J'ai donc rédigé des douzaines de petits jalons pour chacune de mes stratégies. Pour la stratégie de l'exercice, j'ai écrit :

- Jalon 1 : Acheter des souliers de course. Date de réalisation : 1er juin.
- Jalon 2 : Acheter une trousse d'exercice. Date de réalisation : 2 juin.
- Jalon 3 : Acheter un appareil de surveillance cardiaque. Date de réalisation : 3 juin.
- Jalon 4 : Courir jusqu'à la grille du jardin. Date de réalisation : 4 juin.
- Jalon 5 : Courir jusqu'au gros chêne. Date de réalisation : 5 juin.
- Jalon 6 : Courir jusqu'à la première clôture. Date de réalisation : 6 juin.

- Jalon 7 : Courir jusqu'à la deuxième clôture. Date de réalisation : 7 juin.
- Jalon 8 : Courir un quart de kilomètre avec une fréquence cardiaque de 130 battements à la minute. Date de réalisation : 13 juin.
- Jalon 9 : Courir un demi-kilomètre avec une fréquence cardiaque de 130 battements à la minute. Date de réalisation : 20 juin.
- Jalon 10 : Courir un kilomètre avec une fréquence cardiaque de 130 battements à la minute. Date de réalisation : 27 juin.
- Jalon 11 : Courir deux kilomètres avec une fréquence cardiaque de 130 battements à la minute. Date de réalisation : 14 juillet.
- Jalon 12 : Courir trois kilomètres avec une fréquence cardiaque de 130 battements à la minute. Date de réalisation : 1er août.
- Jalon 13 : Courir quatre kilomètres avec une fréquence cardiaque de 130 battements à la minute. Date de réalisation : 14 août.
- Jalon 14 : Courir six kilomètres avec une fréquence cardiaque de 130 battements à la minute. Date de réalisation : 1er septembre.

J'ai délibérément choisi des choses faciles à réaliser pour les quelques premiers jalons, car je voulais créer un sens de momentum au tout début du processus. Mais j'ai quand même pris chaque étape très au sérieux. Le 1er juin, je suis allé à la boutique d'accessoires de sport de mon quartier et je me suis acheté des chaussures de course. J'ai aussi acheté, au même endroit, une trousse d'exercice et un appareil de surveillance cardiaque. Aussitôt après être sorti de la boutique, j'ai sorti ma liste et j'ai coché les trois premiers items. Nous étions le 1er juin et j'étais déjà en avance sur mon échéancier !

Le matin suivant, je me suis levé tôt. J'ai mis mes nouvelles chaussures de course, j'ai enfilé mon appareil de surveillance cardiaque et j'ai solennellement couru jusqu'à la grille avant. Cette étape était plus que facile, mais c'est la raison pour laquelle je l'ai incluse ! Néanmoins, dès que je fus de retour à la maison, je pus aussi cocher ce jalon dans ma liste. Le lendemain, je courus jusqu'au chêne, soit une distance d'environ 180 mètres. Le jour suivant, je courus jusqu'à la première clôture. J'augmentais un peu la distance chaque jour. Après une semaine, je courais un quart de kilomètre. Après deux semaines, je courais un demi-kilomètre. Après trois semaines, je courais un kilomètre. Puis deux, trois, et quatre et cinq. Après huit semaines, j'avais toujours deux semaines d'avance sur mon échéancier et je courais six kilomètres par jour. Je n'aurais pas pu courir six mètres lorsque j'ai débuté.

J'ai continué à courir chaque jour pendant six mois. À l'approche de l'hiver, les choses se compliquèrent quelque peu, mais lorsque l'envie me prenait de prendre une journée de congé, je regardais tous les jalons que j'avais cochés et je me disais qu'il serait honteux d'arrêter maintenant.

Le test le plus difficile survint environ six mois et demi après avoir entrepris mon programme, le 23 décembre 1999. Décembre est toujours un moment de l'année très occupé pour moi et je dois souvent prononcer plus d'une conférence par jour. Le jeudi 23 décembre était ma dernière journée de travail de l'année et j'avais trois discours distincts à prononcer cette journée-là. Je me suis levé à 5 h 45 et j'ai conduit jusqu'à Warwickshire, où je devais présenter un plan d'affaires à plus de cent personnes. Puis, je me suis rendu dans le Surrey pour donner une conférence lors de l'assemblée générale annuelle d'un client, dans l'après-midi. Finalement, j'ai conduit jusqu'à Londres, où je devais faire une présentation lors d'une cérémonie de remise de prix qui avait lieu le même soir. Il était une heure du matin lorsque je suis rentré à la maison. Non seulement j'avais prononcé trois discours devant plus de 1000 personnes, mais j'avais aussi conduit plus de 480 kilomètres, tandis que j'avais quitté la maison aux petites heures du matin, c'est-à-dire dix-neuf heures plus tôt. J'étais donc totalement épuisé.

Je suis entré par la porte arrière afin de ne pas réveiller ma famille. Mais en traversant le perron, j'aperçus mes souliers de course. « Oh, ciel, me dis-je, j'imagine que j'étais trop occupé aujourd'hui ! »

J'ai hésité un instant en regardant dehors. Il faisait un froid de canard et une bruine s'était mise à tomber. Je ne peux me rappeler d'un moment où un bon lit chaud m'a semblé aussi tentant. Mais je savais ce que je devais faire. Je savais que si je faisais une exception maintenant, il serait encore plus facile de faire une exception la prochaine fois. Je me suis souvenu des raisons pour lesquelles je m'étais investi dans cette campagne de mise en forme et j'ai rappelé à mon esprit, le temps d'un instant, ces terribles images de mes enfants en pleurs, au-dessus de ma tombe. Alors j'ai mis mes souliers de course et je suis sorti dans la noirceur, le froid et la pluie, pour courir mes six kilomètres.

Grâce à mon programme de mise en forme, j'ai perdu 30 kilos en six mois et je peux vous assurer que je n'ai plus jamais eu de problèmes de poids depuis ce temps.

Alors, comment ai-je réussi dans un domaine dans lequel un si grand nombre de personnes échouent ? Parce que j'ai suivi un processus, et ce processus peut tout aussi bien fonctionner pour vous. Laissez-moi vous le décrire à nouveau mais, cette fois-ci, de manière détaillée afin que vous puissiez l'utiliser pour atteindre un de *vos* objectifs majeurs.

ATTEINDRE UN OBJECTIF IMPORTANT

- Pour commencer, j'aimerais que vous réfléchissiez à votre objectif le plus important, à savoir celui qui vous excite le plus. Il est important que vous l'énonciez de manière précise afin qu'un jour vous puissiez être capable de dire si vous l'avez atteint ou pas. Par exemple, « Je vais peser 76 kilos » est beaucoup mieux que « Je veux perdre un peu de poids ».

- Il est aussi important que votre objectif soit ambitieux. Ne faites pas de compromis et ne vous sous-estimez pas. Qu'écririez-vous si vous saviez que vous ne pouvez pas échouer ? Alors, pourquoi ne pas écrire cela ? Surtout, n'oubliez pas que les grands objectifs ont un pouvoir de motivation exponentiel sur nous.

- Finalement, veillez à choisir des mots excitants. « Je veux être reconnue comme la meilleure ballerine au monde et être considérée comme Margot Fonteyn », est beaucoup plus inspirant que « Je veux être ballerine ».

Prenez le temps de bien rédiger ceci. Il est très important d'utiliser un langage qui est à la fois précis et inspirant.

- Lorsque vous êtes finalement content de votre objectif et des mots utilisés pour le décrire, écrivez-le sur une nouvelle page de votre cahier.

- Écrivez ensuite votre situation dans ce domaine. Essayez d'être aussi précis que possible. Souvenez-vous que j'ai dépensé une petite fortune en évaluations médicales pour connaître exactement l'état de ma santé et de ma forme physique.

- La prochaine étape consiste à inscrire la raison pour laquelle vous estimez que vous devez réussir dans ce domaine. Qu'est-ce que la réussite vous apporterait dans ce domaine ? Qu'apporterait-elle à vos proches ? Qu'est-ce que vous coûterait un échec dans ce domaine ? Que coûterait cet échec à vos proches ? Assurez-vous de ne pas oublier les conséquences d'un échec sur les gens que vous aimez. Nous faisons souvent plus de choses pour les autres que nous en ferions pour nous-mêmes. Il est important que ces images soient aussi dramatiques que possible. La pensée de mourir prématurément d'une crise cardiaque m'a beaucoup perturbé, mais l'image de ma femme et de mes enfants endeuillés auprès de ma tombe était encore plus puissante.

Après vous être assuré d'avoir inscrit chaque conséquence de la réussite et de l'échec de votre objectif, vous devez maintenant prendre le temps de bien y réfléchir. Toutefois, afin de bien accomplir cette étape, je vous recommande de vous installer dans une pièce où vous ne serez pas dérangé pendant au moins vingt à trente minutes. Par ailleurs, certaines personnes estiment que le fait de mettre de la musique classique en sourdine aide à la concentration.

Assoyez-vous confortablement et posez-vous les questions suivantes :

- Pourquoi est-ce que je désire atteindre cet objectif?
- Que m'apporterait la réussite dans ce domaine ?
- Qu'apporterait-elle à mes proches ?
- Comment me sentirais-je si j'avais déjà atteint mon objectif?

Fermez maintenant les yeux et prenez quelques minutes pour vous imaginer ayant déjà atteint cet objectif.

Demandez-vous ensuite :

- Que me coûterait un échec dans ce domaine ?

Prenez le temps d'envisager les pires conséquences et imaginez-vous tout ce qu'une telle situation implique.

Puis demandez-vous :

- Que coûterait à mes proches un échec dans ce domaine ?

Envisagez les conséquences les plus terribles et imaginez cette situation en détail, mais avec des images encore plus horribles !

Maintenant, afin de retirer le maximum de force et de puissance de cet exercice, vous devez lire les cinq points suivants à plusieurs reprises jusqu'à ce que vous les ayez mémorisés. Puis, fermez vos yeux et envisagez-les tour à tour. Donnez-vous plusieurs minutes pour réfléchir à toutes les images qui vous viennent à l'esprit.

- Rapprochez les images dans votre esprit et agrandissez-les et illuminez-les le plus possible.
- Assurez-vous qu'elles soient en couleur.
- Faites-en maintenant un film.
- Mettez-vous maintenant dans le film.
- Imaginez-vous maintenant que toutes ces choses terribles vous arrivent en ce moment même, à la seconde même.

Si vous avez bien fait l'exercice, vous avez dû vivre une expérience assez émotionnelle, mais elle n'en sera que plus valable.

Maintenant, comment entrevoyez-vous l'atteinte de votre objectif? Abandonnerez-vous au premier obstacle ou continuerez-vous jusqu'au bout pour atteindre le but désiré ?

Une fois que vous avez trouvé une raison de réussir suffisamment importante, la prochaine étape du processus consiste à réfléchir à ce que vous allez faire pour atteindre votre but. Votre motivation ne suffira pas pour atteindre votre objectif, vous aurez aussi besoin d'un plan. Vous devrez donc prendre le temps de réfléchir aux meilleures stratégies qui vous permettront d'atteindre votre objectif.

Je sais d'expérience qu'une des meilleures façons d'accomplir cela est de commencer par faire une liste de toutes les possibilités qui vous viennent à l'esprit. Il s'agit donc de dresser une liste de tous les moyens qui vous permettraient d'atteindre votre objectif. Ne vous inquiétez pas de savoir s'il s'agit d'une bonne ou d'une mauvaise idée. Écrivez simplement tous les moyens auxquels vous pouvez penser. Après avoir envisagé tous les moyens possibles, choisissez les plus réalisables et inscrivez-les.

L'étape finale pour transformer votre rêve en réalité consiste à réduire chacune de ces stratégies en petits jalons, c'est-à-dire les choses que vous devrez faire quotidiennement pour progresser vers l'atteinte de votre objectif. Chaque étape nécessite une date de réalisation et vous devrez ajouter une colonne pour pouvoir cocher chacune d'entre elles lorsqu'elles seront complétées. Assurez-vous de ne pas être trop optimiste quant à vos dates de réalisation, car si vous commencez à dépasser ces dates, vous deviendrez facilement démotivé par la suite et vous abandonnerez complètement votre objectif. Si vous n'êtes pas certain, inscrivez une date plus lointaine. Ces jalons jouent un rôle important dans la réalisation de votre rêve. Sans eux, vous pourriez facilement vous sentir submergé par l'ampleur d'une tâche à accomplir ou découragé par votre manque apparent de progrès dans les premiers jours.

Le document final devrait être tellement précis que quelqu'un qui ne vous connaît pas pourrait suivre le même processus et atteindre le même résultat.

Pour résumer, le processus est :

Étape 1 – Énoncez votre objectif.

Étape 2 – Énoncez votre situation actuelle.

Étape 3 – Écrivez les raisons pour lesquelles vous devez réussir.

Étape 4 – Faites une liste des stratégies : « *Comment* vais-je m'y prendre ? »

Étape 5 – Détaillez chaque stratégie en jalons : « Comment vais-je *mesurer* mon progrès ? »

Ce processus simple en cinq étapes vous aidera grandement à transformer tout rêve en réalité.

CHAPITRE 5

Comment tirer profit du pouvoir de votre subconscient

Les idées que j'ai partagées avec vous jusqu'à maintenant ne sont que des techniques conçues pour faire appel à votre conscient, principalement. Mais n'oubliez pas que le subconscient est considéré comme étant approximativement 30 000 fois plus puissant que le conscient. Alors si vous voulez mettre de votre côté toutes les chances d'atteindre votre objectif, vous devez savoir comment tirer un réel profit du pouvoir de votre subconscient.

Le meilleur moyen de comprendre le lien entre les deux est d'imaginer un immense galion romain propulsé par 30 000 esclaves, enchaînés ensemble par rangées. Un surveillant à l'air féroce s'assure que les rameurs travaillent sans relâche, jour et nuit, pour propulser le bateau vers l'avant aussi rapidement que possible. Dans cette métaphore, le conscient serait le timonier qui, d'un geste de la main, a le pouvoir de décider si la puissance de 30 000 rameurs sera utilisée pour propulser le bateau vers l'avant, l'arrière ou en rond. Voilà précisément comment fonctionne le subconscient : il travaille sans relâche, 24 heures par jour, pour vous offrir ce que vous voulez. Mais il ne peut pas décider de la direction à prendre, car cela relève de vous. Si vous désirez réaliser tous vos rêves, vous devez tout simplement apprendre à communiquer avec votre subconscient. Comment faire ?

Le recours aux images (imagerie mentale) constitue le meilleur moyen de communiquer avec votre subconscient. Réfléchissez à la logique de cette affirmation. Les rêves que nous faisons la nuit sont les seuls moments qui nous permettent de lever le voile sur les mystères du subconscient. Et de quoi nos rêves sont-ils constitués ? D'images. J'ai lu un nombre incalculable de livres de développement personnel au cours des vingt dernières années, et tous mentionnent les avantages d'avoir une « image précise, dans votre esprit, de ce que vous voulez accomplir ». Les livres plus récents ont donné un nouveau nom à cette technique, la « visualisation ».

LE POUVOIR DE LA VISUALISATION

Avant de poursuivre, j'aimerais vous faire une démonstration très révélatrice de la puissance de la visualisation.

- Levez-vous et trouvez un espace où vous pouvez vous tenir debout tout près d'un mur ou de tout autre obstacle, à la distance d'au moins un bras.
- Tenez-vous droit, les deux pieds ensemble et vers l'avant, avec les bras le long de votre corps.
- Levez votre bras droit jusqu'à ce qu'il soit horizontal, à un angle de 90 degrés de votre corps, et pointez devant vous.
- Maintenant, tout en gardant vos pieds ensemble vers l'avant, tournez-vous dans le sens des aiguilles d'une montre tout en bougeant votre bras jusqu'à ce que celui-ci soit rendu aussi loin que possible sans vous faire mal. Notez le point ou l'objet, dans la pièce, vers lequel votre bras est tendu.

- Revenez maintenant à la position avant.

Vous allez maintenant devoir lire tout le reste de l'exercice avant d'essayer de l'exécuter.

- Fermez vos yeux et imaginez que vous tournez votre bras jusqu'au même point que vous avez atteint la première fois. Ne le faites pas, ne faites que l'imaginer.
- Maintenant, imaginez-vous tournant votre bras plus loin que le point que vous aviez atteint précédemment, dans un seul mouvement facile et fluide, et le tournant beaucoup plus loin que vous ne l'avez fait auparavant.
- Répétez le mouvement dans votre tête cinq ou six fois. Imaginez votre bras se tournant facilement et sans effort plus loin que le point que vous avez atteint, voire même beaucoup plus loin.
- Maintenant, ouvrez vos yeux et tournez votre bras aussi loin que vous le pouvez.

Sachez que 95 % des gens affirment être capables de tourner leur bras plus loin la deuxième fois que la première. Tel est le pouvoir de la visualisation.

Comment est-ce possible ? La réponse réside dans le fait que le subconscient ne peut faire la différence entre les choses qu'il a réellement faites et celles qu'il a simplement imaginé faire. Donc, si votre subconscient pense que vous avez déjà tourné votre bras plus loin auparavant, il vous aidera à refaire le même geste.

Imaginez, maintenant, ce qui se passerait si vous pouviez utiliser le pouvoir de la visualisation pour atteindre tous vos autres objectifs, et comment il serait facile de les atteindre. Vous serez heureux d'apprendre que vous le pouvez. Le pouvoir de la visualisation peut être utilisé pour tout ce que vous désirez accomplir. Si vous visualisez vos objectifs, si vous vous représentez des images mentales précises de ce que vous désirez accomplir, vous serez étonné de constater la rapidité avec laquelle votre subconscient commencera à trouver de nouveaux moyens de vous aider à réaliser vos objectifs.

Il existe de nombreux exemples de gens célèbres qui ont utilisé ce principe pour obtenir ce qu'ils voulaient. Le golfeur Jack Nicklaus disait que la préparation compte pour 90 % de la réussite au golf et que les compétences n'y comptent que pour 10 %. Il visualisait chaque coup roulé avant de l'exécuter. Michael Johnson, médaillé d'or olympique et détenteur d'un record mondial, disait qu'il se voyait courir de façon parfaite et gagner la course avant même qu'elle n'ait débuté. La gymnaste Mary Lou Retton disait que la veille de sa participation aux Jeux olympiques, elle s'allongeait dans son lit afin de répéter mentalement sa performance. Elle s'imaginait effectuer toute sa routine. Elle voyait son corps faire les mouvements, elle sentait l'impact de ses mains sur la barre. Elle s'imaginait effectuer toutes ses routines à la perfection ; elle se voyait faire tous les mouvements avec charme, aplomb et en toute confiance. Il en résultait une performance parfaite et… une médaille d'or.

Ce qui fut concluant pour ces gens peut l'être également pour vous. Alors, avant de poursuivre votre lecture, prenez un moment pour vous imaginer ayant atteint votre objectif le plus important, et ce, en vous *visualisant* comme tel à l'aide d'images fortes.

- Si, par exemple, votre objectif est d'être médecin, imaginez-vous un moment parfait où vous êtes en chirurgie, voire un moment qui résume toutes les raisons pour lesquelles vous voulez devenir médecin. Ne négligez pas les détails. Imaginez tous les détails de votre bureau et l'ameublement de votre salle d'attente. Voyez clairement le visage d'un patient. De quoi a-t-il l'air ? De quoi souffre-t-il ? Que vous dit-il ? Comment exprime-t-il sa reconnaissance pour l'aide que vous lui avez apportée ? Comment vous sentez-vous face à cette reconnaissance ?

- Si votre objectif est de vous mettre en forme, visualisez un moment parfait qui résume ce que représente pour vous la mise en forme, qu'il s'agisse de frapper la balle qui vous permettra de gagner une partie de tennis, ou d'essayer de beaux nouveaux vêtements. Visualisez clairement cette image de vous-même jouissant de ce moment parfait, puis ajoutez de plus en plus de détails. Quelle est la période de l'année ? Quel temps fait-il ? Que portez-vous ? Qui partage avec vous votre moment parfait ? Plus votre image sera détaillée, plus son effet sera intense sur votre motivation.

Je suis certain que vous vous sentiez bien, n'est-ce pas ? Cependant, même si la visualisation est un outil puissant et éprouvé pour vous aider à réaliser vos rêves, elle a ses limites, dont la plus grande réside dans le fait qu'il est difficile de garder une attention soutenue pendant très longtemps. Même si vous essayez très fort et voulez désespérément atteindre votre objectif, vous constaterez que votre attention commence à perdre de son intensité après quelques minutes. Aussitôt que d'autres images apparaissent dans votre esprit, le pouvoir de la visualisation se dilue. Heureusement, il existe une solution à ce problème, une solution si simple que je peux la résumer en trois mots :

Faites des dessins

C'est vraiment aussi facile que cela ! Afin de pouvoir profiter du pouvoir magique de la visualisation 24 heures par jour, il vous suffit de faire des dessins, tout simplement. Si vous voulez profiter de l'impact de cette stratégie de manière optimale, vous devrez utiliser un dessin très spécifique, dessiné d'une façon très spécifique. Certaines personnes essaient d'utiliser des photos découpées dans les magazines ou les journaux, ce qui ne fonctionne pas, car la télévision, la publicité et les médias nous bombardent de telles images chaque jour. Ainsi, afin que vos images soient vraiment différentes et vraiment spéciales, elles *doivent* avoir été dessinées par vous. Je sais que certains d'entre vous diront : « Mais je ne sais pas dessiner ! » Ne vous en faites pas, cela n'a aucune importance. La qualité du dessin est sans importance. C'est ce que le dessin symbolise pour vous qui importe. Si vous êtes capable de dessiner un bonhomme, alors vous savez suffisamment dessiner pour faire cet exercice.

DESSINER SES OBJECTIFS

Voici comment faire :

- Choisissez votre objectif le plus grandiose, le plus complexe et le plus important, à savoir celui pour lequel vous donneriez presque n'importe quoi pour l'obtenir.

- Maintenant, faites un dessin de vous-même ayant atteint votre objectif. Le dessin n'est que symbolique, mais il doit aussi contenir toute la joie, la fierté et la satisfaction que vous ressentez en atteignant votre objectif. Par exemple, si votre objectif est de perdre du poids, faites un dessin de vous avec l'apparence que vous aimeriez avoir ; imaginez-vous en train d'essayer de nouveaux vêtements. Dessinez cette image dans le haut d'une nouvelle page de votre cahier, tel qu'indiqué dans le graphique de la page 80.

- Sous ce dessin, écrivez la date à laquelle vous désirez avoir atteint votre objectif.

- Après avoir fait cela, dessinez votre situation actuelle au bas de la page et inscrivez la date d'aujourd'hui en dessous.

- Réfléchissez maintenant à la façon dont vous allez fermer le vide qui existe entre la situation où vous êtes aujourd'hui et celle où vous voulez être. Quelles stratégies allez-vous utiliser pour atteindre votre objectif? Choisissez parmi les trois ou quatre plus importantes et faites des dessins représentant ces actions, sur le côté droit de la page. Par exemple, une de vos stratégies pour perdre du poids pourrait être de faire régulièrement de l'exercice. Vous pourriez donc dessiner une image de vous-même dans une classe d'aérobie.

OBJECTIF

DATE

SITUATION
ACTUELLE

QUI

COMMENT

DATE

- Ensuite, réfléchissez à certaines personnes qui pourraient vous aider à atteindre votre objectif et dessinez-les dans les boîtes qui se trouvent à gauche de la page. Vous pourriez, par exemple, dessiner votre instructeur d'aérobie.

- Finalement, prenez le temps de colorier chacun des dessins. La plupart d'entre nous « rêvons en couleur », donc vos images seront d'autant plus suggestives si elles sont en couleur.

- Lorsque vous avez terminé votre dessin, placez-le à côté de votre lit. Idéalement, vous le placerez dans un endroit où vous pouvez l'apercevoir lorsque vous êtes couché, la tête sur l'oreiller.

- Chaque soir, avant de vous endormir, prenez trente secondes pour regarder votre dessin. En faisant ceci, vous encouragerez votre subconscient à passer la nuit entière à rêver aux moyens qui vous aideront à atteindre votre objectif.

De toutes les techniques que j'enseigne durant mes séminaires, celle-ci est probablement la plus efficace, et j'ai entendu de nombreuses histoires extraordinaires quant aux résultats que les gens ont obtenus en l'utilisant.

Une des histoires les plus percutantes de toutes, et une que je peux vous raconter sans trahir aucune confidence, concerne mon épouse Kym, qui a complété un dessin d'objectif en mai 2001. Kym est écrivaine. Elle a passé sa vie à écrire et elle a atteint une certaine renommée. Cependant, comme les enfants grandissaient et avaient moins besoin d'elle, elle voulait poursuivre sa carrière d'écrivaine de façon plus approfondie et voulait être prise au sérieux en tant que romancière. Avec cet objectif en tête, elle se prépara à faire le dessin de son objectif.

Kym appliqua le premier principe selon lequel les grands objectifs induisent une capacité d'inspiration disproportionnée. Elle se posa des questions telles que :

- Qu'est-ce que je veux vraiment accomplir ?
- Qu'écrirais-je si je pouvais avoir exactement la vie que je désire ?
- Qu'écrirais-je si je savais que je ne peux pas échouer ?

Les grandes questions produisent de grandes réponses. Kym écrivit : Je veux gagner le prix Man Booker de littérature.

S'agit-il d'un grand objectif ? Très certainement. Le prix Man Booker est l'un des plus prestigieux prix littéraires au monde. A-t-il le pouvoir de motiver Kym ? Assurément – elle se rendrait en enfer et en reviendrait, simplement pour réaliser ceci.

Dans le haut de sa page, Kym fit un dessin d'elle sur une scène, en train de recevoir le prix Man Booker, et elle apposa sa date de réalisation, novembre 2005. Il s'agit d'un joli dessin qui saisit bien la joie qu'elle éprouverait si elle gagnait un tel prix.

Kym fit ensuite un dessin qui la représentait dans sa situation actuelle d'écrivaine de nouvelles, de poèmes et d'articles de magazines, et elle inscrivit la date du moment, soit mai 2001. Sur le côté droit, elle fit six dessins qui représentaient les choses essentielles qu'elle devrait réaliser pour gagner le prix Man Booker, par exemple, terminer la première version de son roman, terminer la deuxième version, trouver un agent et un éditeur, ce qui est une tâche ardue dans le difficile climat qui prévaut aujourd'hui, dans le monde de l'édition.

Sur le côté gauche, Kym dessina les gens dont elle aurait besoin en cours de route. Elle dessina l'écrivain qui était son mentor et fit un dessin symbolique de l'agent qu'elle espérait trouver pour la représenter. Elle dessina une dame avec des cheveux noirs, courts et bouclés, et habillée d'un pull orange. Son dessin final se trouve en page 85.

Kym accrocha son dessin sur le bras de sa lampe de chevet et le regardait chaque soir pendant quelques secondes, avant de s'endormir. Ensuite, chaque jour, elle travailla très fort pour terminer la première et deuxième version de son roman et, éventuellement, la version finale. Elle termina finalement un peu plus d'un an plus tard, en juillet 2002. Elle envoya le manuscrit à Curtis Brown, l'une des agences littéraires les plus prestigieuses du pays. À sa grande joie, elle reçut aussitôt une réponse et une rencontre fut organisée deux semaines plus tard, le jeudi 4 juillet.

Kym savait qu'il s'agissait là d'une occasion que de nombreux auteurs convoitaient et elle attendait la rencontre avec impatience. Le grand jour arriva finalement. Comme il s'agissait d'une rencontre importante, Kym arriva en avance et attendit nerveusement à la réception de l'agence. À 10 heures précises, la réceptionniste la dirigea vers le bureau de sa future agente, une jolie femme d'une cinquantaine d'années, *avec des cheveux noirs, courts et bouclés*, et habillée d'un pantalon noir et *d'un pull orange*. Kym la regarda un instant et sut que tout irait bien. Sa nervosité disparut aussitôt et elle fut en mesure de faire une excellente présentation lors de la rencontre. Une heure plus tard, elle signait une entente avec Curtis Brown afin que la firme la représente.

Certaines personnes s'imaginent sûrement qu'il ne s'agit que d'une remarquable coïncidence. Après tout, plusieurs femmes ont les cheveux noirs, courts et bouclés, et de nombreuses portent un pull orange. Il pourrait s'agir d'une coïncidence si l'histoire se terminait ici, mais ce n'est pas le cas. Sur le chemin du retour, Kym se mit à lire la documentation que l'agence lui avait remise et elle fut agréablement surprise de découvrir que sa nouvelle agente représentait aussi Margaret Atwood, la gagnante du prix Booker de l'année précédente ! Oui, cela pourrait être une autre coïncidence, mais l'histoire ne s'arrête pas là.

Six semaines plus tard, j'ai raconté cette histoire pour la première fois à un groupe de cent jeunes filles de l'école St Helens à Northwood. Je donnais un séminaire sur le processus de la détermination des objectifs, et cette histoire me semblait un exemple parfait de la façon dont le processus pouvait fonctionner pour quelqu'un d'autre. Mais je n'avais encore jamais raconté cette histoire en public. Or, au même moment où je racontais cette histoire, Kym reçut un téléphone de son agente qui l'avisa qu'elle avait négocié une entente avec Hodder & Stoughton pour la publication de son roman, *Erskine's Box*. Elle avait réussi à obtenir de très bons arrangements : une entente contractuelle pour la publication de deux livres, ainsi que l'offre d'une importante avance pécuniaire pour l'écriture de ces deux livres et le statut de *titre vedette*.

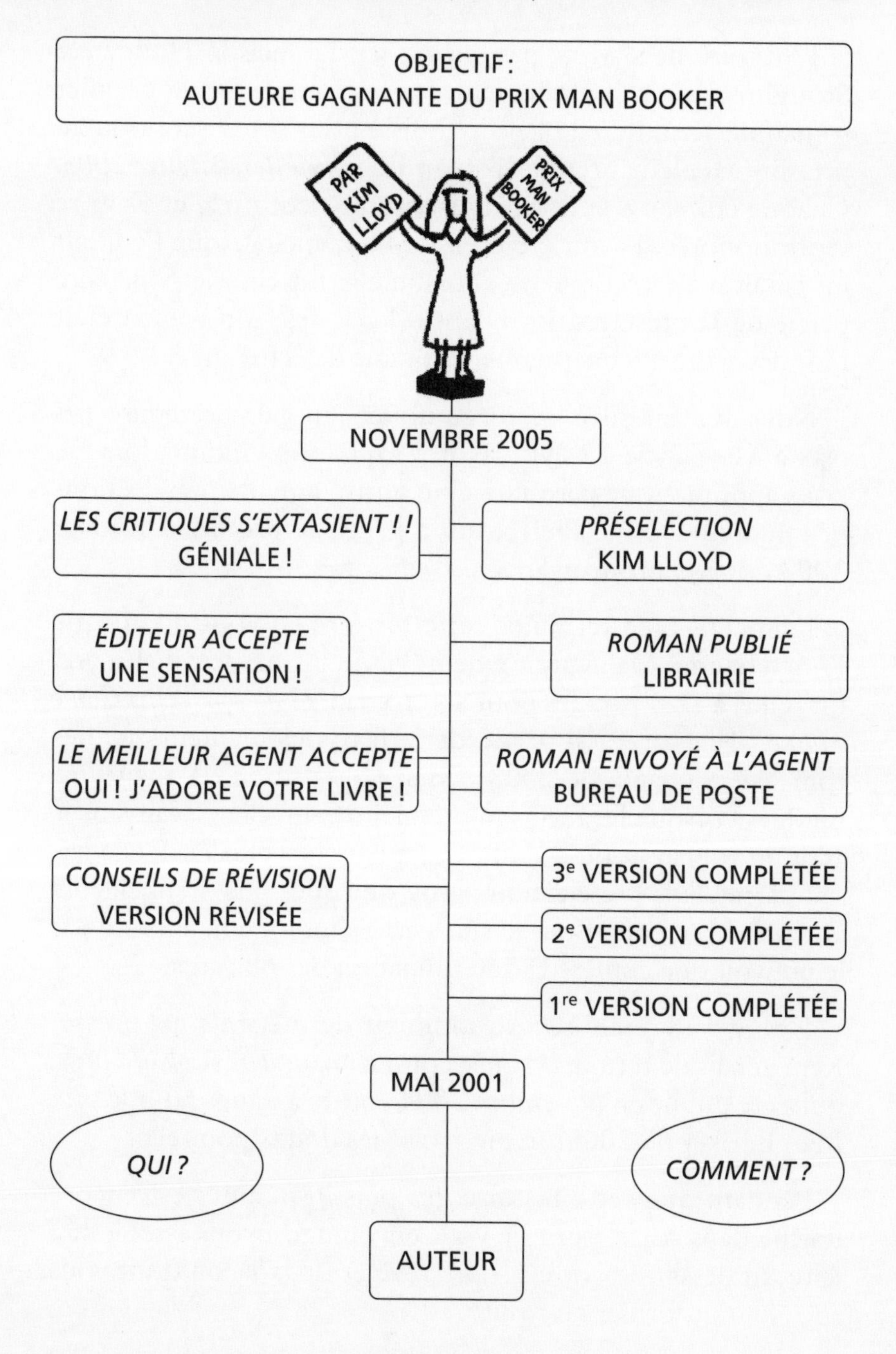
OBJECTIF :
AUTEURE GAGNANTE DU PRIX MAN BOOKER
PAR KIM LLOYD
PRIX MAN BOOKER
NOVEMBRE 2005
LES CRITIQUES S'EXTASIENT ! !
GÉNIALE !
PRÉSELECTION
KIM LLOYD
ÉDITEUR ACCEPTE
UNE SENSATION !
ROMAN PUBLIÉ
LIBRAIRIE
LE MEILLEUR AGENT ACCEPTE
OUI ! J'ADORE VOTRE LIVRE !
ROMAN ENVOYÉ À L'AGENT
BUREAU DE POSTE
CONSEILS DE RÉVISION
VERSION RÉVISÉE
3e VERSION COMPLÉTÉE
2e VERSION COMPLÉTÉE
1re VERSION COMPLÉTÉE
MAI 2001
QUI ?
COMMENT ?
AUTEUR

L'histoire ne s'arrête pas encore ici. La maison Hodder & Stoughton avait été tellement impressionnée par le premier roman de Kym qu'elle l'avait choisie pour son inscription au prix du Meilleur premier roman du *Club des auteurs 2003*. Chaque éditeur a le droit d'inscrire un seul titre, et Kym se sentit honorée d'avoir été choisie. La confiance que l'éditeur lui faisait a été récompensée lorsqu'elle fut choisie pour faire partie de la présélection. D'après les juges, son roman était l'un des six meilleurs premiers romans de cette année.

Nous avons assisté, la gorge nouée, au gala de remise des prix à Mayfair, le 22 avril. Notre excitation culmina lorsque nous apprîmes que parmi les cinq autres auteurs présélectionnés figurait D.B.C. Pierre, qui a gagné le prix Man Booker 2003 pour son roman *Vernon God Little*.

J'aimerais bien terminer cette histoire en vous disant que Kym a gagné. Malheureusement, ce ne fut pas le cas. Le prix fut remis à Dan Rhodes pour son roman *Timoleon Vieta Come Home* (il faisait aussi partie de la liste des meilleurs jeunes romanciers Granta de 2003). Mais voyez jusqu'où Kym s'est rendue. Lorsqu'elle a fait son premier dessin, elle n'avait jamais écrit un roman jusqu'à la fin. Or, quatre ans plus tard, elle faisait partie de la présélection parmi quelques-uns des meilleurs auteurs de ce pays. Bref, je suis parfois moi-même étonné par le pouvoir que confère la détermination des objectifs.

Une dernière chose. Au moment de mettre sous presse, Kym venait de terminer son second roman, *The Book of Guilt*, qui a été publié en novembre 2004 – juste à temps pour le prix Man Booker de 2005. Je me croise les doigts pour elle.

Pendant que cette histoire des plus inspirantes est encore fraîche dans votre esprit, je vous encourage à vous asseoir et à faire un dessin de votre propre rêve et de la façon dont vous allez le transformer en réalité.

CHAPITRE 6

Comment trouver du temps...

« J'avais l'intention de le faire, mais j'ai été tellement occupé. »

Avez-vous déjà dit cette phrase ? C'est probablement l'excuse que j'entends le plus fréquemment lorsque je demande aux gens pourquoi ils n'ont pas fait davantage de progrès dans l'atteinte de leurs objectifs. La façon dont les gens planifient et utilisent leur temps est, d'après moi, le facteur le plus important qui déterminera s'ils vont réussir ou non à atteindre leur objectif ou s'ils vont seulement en parler.

Je n'ai pas l'intention, dans ce chapitre, de vous apprendre un autre système sophistiqué de gestion du temps ; il y en a déjà plusieurs sur le marché. Mon objectif consiste plutôt à vous montrer comment allouer suffisamment de temps à un horaire très occupé pour vous permettre de progresser dans la réalisation de vos objectifs, et à vous faire découvrir un système qui vous aidera à maintenir un équilibre adéquat dans votre vie, même si vous êtes très occupé.

TANT DE CHOSES À FAIRE...

Le système qu'utilisent la majorité des gens pour gérer leur temps est, d'après moi, désuet, démoralisant et extrêmement inefficace. Laissez-moi vous montrer ce que je veux dire.

- Ouvrez votre cahier de notes à une page vierge et écrivez de mémoire la liste de tout ce que vous avez à faire demain. Assurez-vous que votre liste contient absolument tout, et non seulement les choses importantes, mais aussi les petits détails tels que aller chercher vos vêtements chez le nettoyeur ou prendre rendez-vous avec le garage pour faire inspecter votre voiture.

- Lisez la liste que vous venez de rédiger. Durant la lecture, comment vous sentez-vous à l'idée de cette journée ? Énergisé et excité ? Stressé et submergé ?

- Prenez maintenant un moment pour planifier la manière de parvenir à réaliser toutes ces choses en une seule journée.

- Posez-vous maintenant une autre question : quelles sont les chances que ma journée se déroule de cette façon ? Pensez-vous être capable de passer à travers votre liste en paix, en vous occupant de chaque item par ordre de priorité, ou la journée sera-t-elle encore ponctuée d'interruptions et d'urgences imprévues ? Et comment vous sentirez-vous si vous n'arrivez pas à terminer votre liste ? Comment vous sentirez-vous à la fin de la journée lorsque vous regarderez votre liste de « choses à faire » et constaterez qu'il reste encore 92 choses à faire ? Encore plus stressé, j'imagine.

L'inconvénient avec les listes de « choses à faire » est que, même lors de ces rares journées où vous parvenez à tout faire, il n'y a pas de récompense. Le fait de venir à bout de votre liste vous donne un sentiment de satisfaction qui dure environ trente secondes. Puis vous vous souvenez que, demain, vous aurez une autre liste tout aussi longue. Laissez-moi donc vous recommander un meilleur système.

LES PRINCIPES D'UNE GESTION DE TEMPS EFFICACE

Le premier principe d'une efficace gestion de temps consiste à planifier vos activités pour la semaine et non pas seulement pour une seule journée. Ce n'est qu'en planifiant pour la semaine que vous réussirez à trouver un équilibre approprié entre votre travail et votre vie de famille. Je trouve que le dimanche soir est un moment idéal pour m'asseoir et réfléchir à la semaine qui s'annonce, mais vous pouvez choisir le moment qui vous convient le mieux.

Le deuxième principe est de considérer le temps que vous devez allouer à la réalisation de votre objectif comme étant votre priorité la plus importante, ce qui signifie que vous devez l'inscrire en premier dans votre agenda. Il s'agit du seul moyen de vous assurer que ce temps réservé à votre objectif ne vous soit pas confisqué par votre horaire chargé et par d'autres obligations moins importantes.

Le troisième principe consiste à trouver du temps, chaque semaine, pour des activités de loisir et à planifier celles-ci avec le même soin que celui que vous prenez pour planifier votre vie professionnelle. Si vous apprenez à préserver un équilibre adéquat entre votre vie familiale et professionnelle, vous trouverez la clé de la réussite et de la réalisation à long terme. Dans le chapitre 3, je vous ai suggéré de maintenir cet équilibre en divisant vos objectifs en dix catégories (finances, carrière, relations intimes, etc.). Bien que cela fonctionne bien pour un exercice de détermination des objectifs, il y a cependant trop de catégories pour les inclure dans votre agenda, sur une base quotidienne. Je vous recommande donc, maintenant, d'envisager votre vie de tous les jours selon les différents *rôles* que vous y jouez.

Ces rôles devraient être choisis pour refléter vos priorités actuelles, c'est-à-dire les domaines de votre vie auxquels vous désirez apporter des améliorations. En ce moment, mes rôles sont :

1. Mari
2. Père
3. Homme d'affaires
4. Auteur
5. Administrateur de fondations de charité
6. Investisseur
7. Individu

Chacun a des rôles différents. Voici quelques autres exemples réels :

Jean	*Thérèse*	*Yolande*
1. Vendeur 2. Gérant de bureau 3. Futur directeur régional 4. Fils 5. Casanova ! 6. Pilote de course amateur 7. Individu	1. Épouse 2. Mère 3. Femme au foyer 4. Gouverneur de l'école 5. Magistrat 6. Fille 7. Individu	1. Étudiante en médecine 2. Futur médecin 3. Fille 4. Joueuse de hockey 5. Chef du syndicat étudiant 6. Activiste politique 7. Individu

VOS RÔLES ET VOS OBJECTIFS

- Avant de poursuivre votre lecture, prenez quelques minutes pour inscrire les rôles principaux que vous devez jouer en ce moment, dans votre vie. Pour la plupart des gens, le bon nombre de rôles auquel se réduire est six, incluant eux-mêmes en tant qu'individu, mais il ne s'agit pas d'un nombre magique ; vous pouvez donc avoir plus ou moins de rôles, si vous le préférez.

- Commencez par inscrire, dans le haut de la page de votre cahier de notes, les rôles que vous avez choisis, (voir le tableau aux pages 100 et suivantes). Maintenant, retournez à votre liste d'objectifs et choisissez ceux que vous voulez poursuivre pour en étendre le progrès au cours de la prochaine semaine. Décidez maintenant à quel rôle chaque objectif correspond et écrivez chacun de ces objectifs sous le titre du rôle approprié.

- Avant de poursuivre, prenez un moment pour regarder chaque objectif et vous poser les questions suivantes :

  1. Quel est mon objectif final dans ce domaine ?

  2. Pourquoi *dois-je* réaliser cet objectif ?

  3. Que vais-je obtenir si j'atteins cet objectif ?

  4. Que m'en coûtera-t-il si je n'arrive pas à atteindre cet objectif ?

  5. Qu'en coûtera-t-il à mes proches si je n'arrive pas à atteindre cet objectif ?

  6. Quels gestes puis-je poser la semaine prochaine afin de progresser vers l'atteinte de mon objectif ?

- Vous devez faire ceci pour *chacun des objectifs*. Cela peut sembler quelque peu fastidieux au début, mais croyez-moi, si vous ne vous remémorez pas constamment les raisons pour lesquelles chaque objectif est important pour vous, votre motivation commencera à diminuer et vous laisserez d'autres choses vous encombrer. Demandez-vous :

– Qu'est-ce que je désire accomplir ?

– *Pourquoi* dois-je accomplir ceci ?

– Comment puis-je progresser dans ce domaine la semaine prochaine ?

Voilà les trois questions cruciales qui maintiendront votre engagement et qui vous assureront que même si vous n'avez pas le temps de faire autre chose la semaine prochaine, vous trouverez le temps de réaliser des progrès vers l'atteinte de vos objectifs.

- Dans cet état de détermination et d'engagement, inscrivez, dans l'endroit approprié et sous chaque objectif, les différentes étapes que vous voulez réaliser.

Un objectif terminé pourrait ressembler à ceci :

- Résultat ultime : doubler le chiffre d'affaires de mon commerce.
- Pourquoi *dois-je* atteindre cet objectif ? Pour mettre à profit mon potentiel, accomplir mon destin et donner à ma famille le style de vie qu'elle mérite.
- Que m'en coûterait-il si je ne réussissais pas à atteindre mon objectif ? Mon amour-propre et ma crédibilité.
- Qu'est-ce que cet échec coûterait à mes proches ? Mes enfants ne pourraient pas aller au collège, ce qui les empêcherait de révéler et de réaliser leurs habiletés et leurs compétences potentielles.

- Comment puis-je progresser dans ce domaine, la semaine prochaine ? Concevoir un nouveau site Internet.
- Quels jalons pourrais-je atteindre dans ce domaine ? Écrire le texte, rencontrer le designer ainsi que les gens du marketing électronique.

Vous devez travailler avec ce système et de façon aussi détaillée pour chacun de vos objectifs.

Lorsque vous avez terminé, prenez quelques minutes pour vous assurer que vous vous êtes conservé du temps pour vous occuper de vous-même en tant qu'individu. Si vous ne le faites pas, vous serez comme une voiture que l'on n'entretient pas. Vous commencerez à ralentir de plus en plus, jusqu'au jour où vous vous arrêterez complètement. Chaque semaine, il est essentiel de trouver du temps pour vous occuper de vous-même dans quatre domaines clés, que voici :

- *Votre corps.* Avez-vous planifié du temps pendant la semaine pour faire de l'exercice et vous occuper de l'aspect physique ?
- *Votre esprit.* Vous devez allouer du temps pour lire ou pour faire une autre activité qui vous stimule intellectuellement.
- *Votre cœur.* Vous devez aussi planifier de passer du temps avec ceux que vous aimez ou pour vous consacrer à un passe-temps qui vous procure du plaisir.
- *Votre âme.* Allouez du temps pour redonner à la communauté, par exemple, en travaillant pour un organisme de charité, en allant à l'église ou tout simplement en aidant un ami.

Le processus complet peut prendre jusqu'à une heure. Cependant, je vous promets que si vous planifiez bien, vous récupérerez rapidement cette heure au cours de la semaine, car cela transformera votre niveau de motivation, de productivité et d'efficacité.

- Lorsque vous avez terminé, prenez quelques minutes pour revoir votre nouvelle liste de « choses à faire ».
- Comment vous sentez-vous maintenant en regardant cette liste ? Stressé et submergé ? Ou alors êtes-vous excité et passionné envers toutes les choses merveilleuses qui vous attendent au cours de la semaine qui vient ?

Plusieurs des items de la nouvelle liste seront certainement les mêmes que ceux qui étaient sur votre ancienne liste. Mais qu'est-ce qui a changé ? Ce qui a changé c'est que même les activités les plus triviales font maintenant partie de votre intention ultime.

MAINTENANT, PLANIFIEZ LE TOUT

Le fait de planifier votre agenda chaque semaine et de relier chaque item à vos objectifs transformera votre niveau de motivation et de productivité. Cependant, afin de vous assurer que vous faites chacune de ces choses, il est essentiel que vous fassiez un échéancier.

J'ai de nouveau réalisé l'importance de cette étape il y a quelques années, lorsque j'ai assisté à une réunion de révision de plans d'affaires chez un de mes clients. Douze directeurs de succursales participaient à la rencontre. Le but de la réunion était d'évaluer leur performance en fonction des plans d'affaires que je les avais aidés à élaborer douze mois plus tôt. Je savais avant le début de la rencontre que trois des directeurs n'avaient pas atteint leurs objectifs, huit les avaient réalisés, tandis qu'un des directeurs les avait complètement dépassés.

Nous avons commencé avec les trois directeurs qui n'avaient pas atteint leurs objectifs. Dans chacun des cas, soit qu'ils n'avaient pas inscrit leurs jalons dans leur agenda, soit qu'ils les avaient inscrits, mais ne s'en étaient pas occupés parce qu'ils avaient été accaparés par des situations plus urgentes, mais moins importantes.

Les huit directeurs qui avaient atteint leurs objectifs avaient tous accordé beaucoup plus d'importance aux jalons de leurs objectifs. Ils avaient, de toute évidence, pris le temps de lire régulièrement leur plan d'affaires et avaient inscrit à l'avance leurs jalons dans leur agenda. Dans l'ensemble, ils avaient accompli ce qu'ils avaient dit qu'ils feraient, et ce, au moment où ils avaient dit qu'ils le feraient.

Le dernier directeur avait obtenu des résultats remarquables. Bien qu'il dirigeait déjà la meilleure succursale du groupe au début de l'année, il avait réussi à faire augmenter son chiffre d'affaires de 65 % par rapport à l'année précédente. Je lui ai demandé de quelle façon il avait géré les étapes de ses objectifs.

« Le jour après que mon plan d'affaires fut approuvé, dit-il, je me suis enfermé dans le bureau du fond avec le plan d'affaires, l'agenda du bureau, l'agenda individuel de chacun de mes employés ainsi que le tableau des vacances annuelles, et j'ai planifié chacun des jalons pour toute l'année à venir. Une fois inscrits dans l'agenda, ils sont devenus incontournables. J'ai avisé tous mes gens qu'il était essentiel que nous atteignions nos jalons planifiés et que cela devait devenir notre priorité, et que je n'accepterais aucune excuse, sauf peut-être un tremblement de terre, si quelqu'un n'arrivait pas à accomplir son jalon à la date convenue. »

Je n'avais jamais rencontré quelqu'un qui travaillait avec une approche aussi déterminée. Il s'agit peut-être d'un exemple un peu extrême, mais ses résultats sont néanmoins très éloquents. Je crois que tous les gens qui étaient dans la pièce, ce jour-là, se sont souvenus de la leçon qu'ils ont apprise de cet homme.

PROGRAMMEZ VOS JALONS

- Pendant que cette histoire est encore fraîche dans votre esprit, revoyez vos propres jalons dans votre cahier de notes.
- Commencez maintenant à les placer dans un endroit approprié de l'agenda de la semaine prochaine.
- Commencez par inscrire les réunions fixes, à savoir les choses qui doivent être faites à un moment spécifique et dont la plage horaire ne peut donc pas être déplacée.
- Inscrivez ensuite des périodes de temps pour travailler sur vos objectifs et vos jalons majeurs. Faites un estimé du temps requis pour chacun et essayez, si possible, de leur allouer une plage horaire spécifique.
- Tout en faisant cela, assurez-vous de prendre en considération votre propre biorythme. Certains d'entre nous sont des gens qui aiment travailler le matin, d'autres sont des oiseaux de nuit. Il est préférable de prévoir les choses importantes pour ces moments de la journée où vous êtes à votre meilleur.
- Assurez-vous d'inclure vos activités de loisir dans votre plan. Si vous le ne le faites pas, votre travail pourra facilement empiéter sur votre temps de loisir, et votre vie s'en trouvera alors déséquilibrée.
- Les tâches peu importantes, telles que prendre rendez-vous pour l'inspection de la voiture, peuvent être inscrites dans la section « Autres tâches » et être allouées à une journée en particulier, mais non pas à une heure spécifique. Elles peuvent être accomplies entre des tâches plus importantes de la journée.

- Finalement, ne soyez pas trop ambitieux quant à ce qu'il vous est possible de réaliser chaque jour. Les interruptions sont presque inévitables et il est préférable de planifier du temps libre pour vous en occuper.
- Au début de chaque jour, prenez quelques minutes pour vérifier votre plan et incorporez-le ensuite dans le système de gestion du temps, que vous utiliserez sur une base quotidienne, pour planifier votre temps.

REVOIR VOS PROGRÈS

À la fin de chaque semaine, prenez quelques minutes pour revoir le plan de la dernière semaine et posez-vous trois questions :

- Quelles ont été mes plus grandes réalisations cette semaine ?
- Quelles ont été mes plus grandes déceptions cette semaine ?
- Quelles leçons puis-je en tirer pour l'avenir ?

Si vous avez encore des doutes sur la valeur de ce système, essayez-le pour quelques semaines et décidez ensuite. Si je me fis à mon expérience, vous constaterez certainement que les résultats que vous en obtiendrez vous persuaderont de l'utiliser dorénavant.

Gérer les interruptions

Le tout premier principe que l'on enseigne dans la plupart des cours de gestion du temps est celui qui consiste à créer des périodes de « temps prioritaire », à savoir du temps libre de toute interruption. Ceci est essentiel. Vous ne réussirez jamais à accomplir quoi que ce soit si vous êtes toujours disponible pour tout le monde. Toutefois, même si vous planifiez soigneusement votre journée, les interruptions sont inévitables. Alors comment les gérer ?

D'abord, je vous recommande de vous allouer une certaine période de temps pour les interruptions et inscrivez ce « temps non structuré » dans votre agenda. Cette stratégie ne réduira pas le nombre d'interruptions auxquelles vous devrez faire face, mais cela réduira certainement votre niveau de stress !

Si vous êtes interrompu par quelqu'un ou quelque chose, vous devez prendre une décision éclairée quant à savoir si vous devez continuer à faire ce que vous aviez planifié de faire ou si vous allez laisser l'interruption désorganiser votre horaire. Une bonne façon de prendre cette décision consiste à évaluer chaque choix en fonction de son urgence et de son importance. La plupart des activités se situent dans une des quatre catégories suivantes :

1. *Non urgent et non important*: par exemple, être étendu sur le canapé à regarder la télévision. Cette activité est la moins importante. Lorsque vous êtes occupé à faire ceci, vous serez probablement content de vous faire interrompre.

2. *Urgent mais non important*: par exemple, lorsqu'un vendeur veut vous parler d'un produit que vous n'avez aucune intention d'acheter. Il requiert votre attention immédiate, mais vous n'attachez aucune importance à la conversation. Il est très facile de gaspiller votre temps sur de telles activités.

3. *Urgent et important*: par exemple, terminer à temps le travail requis pour une importante publicité imprimée qui doit être livrée dans une heure. Un certain pourcentage des tâches tombe toujours dans cette catégorie. Cependant, si la tâche est d'une telle importance, vous auriez peut-être dû prévoir la commencer un peu plus tôt.

4. *Important mais non urgent*: par exemple, prendre une heure pour faire de l'exercice. Cette activité n'est pas urgente et il est facile de l'oublier dans un horaire chargé.

Mais si vous la remettez à plus tard continuellement, le jour arrivera où votre corps vous abandonnera et vous empêchera de faire toutes ces autres choses que vous désirez faire.

Vous devriez poursuivre l'objectif de passer le plus de temps possible sur les activités de la quatrième catégorie.

Si vous décidez que l'interruption est inévitable, posez-vous ces trois questions :

1. Qu'arriverait-il si je ne faisais pas cette tâche ?
2. Dois-je réellement la faire moi-même ?
3. Doit-elle être accomplie dès maintenant ?

Si vous estimez quand même que vous devez accepter l'interruption, prenez quelques instants pour inscrire à votre agenda une nouvelle période de temps pour achever la tâche première que vous exécutiez.

Les stratégies que j'ai décrites dans ce chapitre ne pourront évidemment pas vous procurer plus de temps. Elles pourront cependant vous permettre de consacrer plus de temps aux tâches qui vous sont les plus importantes, et cela est le sujet même de ce livre.

Rôles	Mari	Père	Affaires	Auteur	Administrateur	Investisseur	Individu
Objectif 1	*Organiser anniversaire*	*Enseigner à H à jouer aux échecs*	*Nouveau site Internet*	*Terminer livre*	*Choisir une firme de RP*	*Vendre les actions de X*	*Corps*
Jalon 1	Réservation restaurant	Acheter jeu	Préselection des designers	500 mots par jour pour 4 jours	Accepter le budget	Vérifier la responsabilité de CGT	Courir 3 fois
Jalon 2	Commander fleurs	Acheter livre	Préselection des firmes de marketing		Recherche de la préselection	Appeler courtier	Yoga 3 fois
Jalon 3	Acheter cadeau	Jouer un premier jeu	Première version		Préparer trois soumissions		Karaté 2 fois
Jalon 4	Acheter carte						Podologue
Objectif 2		*Recherche pour prochaine école*	*Endroit pour assemblée annuelle*			*Acheter actions de Y*	*Esprit*
Jalon 1		Obtenir palmarès des écoles	Appeler X pour recom-mandation			Étudier histogramme	Terminer livre

Rôles	Mari	Père	Affaires	Auteur	Administrateur	Investisseur	Individu
Jalon 2		Faire une présélection	Accepter le budget			Lire rapport annuel	Regarder documentaire télévisé
Jalon 3		Obtenir dates portes ouvertes	Finaliser les chiffres			Décider de la politique d'arrêt des pertes	
Jalon 4			Faire présélection pour Jean			Placer commande avec courtier	
Objectif 3		*Enseigner un morceau de guitare*					*Cœur*
Jalon 1		Acheter musique					Repas au resto avec K
Jalon 2		Acheter CD					
Jalon 3							
Jalon 4							

Rôles	Mari	Père	Affaires	Auteur	Administrateur	Investisseur	Individu
Objectif 4							*Âme*
Jalon 1							Aider à la vente de charité
Jalon 2							
Jalon 3							
Jalon 4							
Autres tâches							
	Inspection de la voiture de K	Réparer le trou de l	Veston de soirée chez le nettoyeur	Obtenir rapports de ventes du dernier livre			Chercher nouveau moteur de bateau
							Réparer la lumière de la remise

FORMULAIRE DES PRIORITÉS DE LA SEMAINE PROCHAINE							
Rôles	**Rôle 1**	**Rôle 2**	**Rôle 3**	**Rôle 4**	**Rôle 5**	**Rôle 6**	**Rôle 7**
Objectif 1							*Corps*
Jalon 1							
Jalon 2							
Jalon 3							
Jalon 4							
Objectif 2							*Esprit*
Jalon 1							
Jalon 2							
Jalon 3							
Jalon 4							
Objectif 3							*Cœur*
Jalon 1							
Jalon 2							
Jalon 3							
Jalon 4							

Rôles	Rôle 1	Rôle 2	Rôle 3	Rôle 4	Rôle 5	Rôle 6	Rôle 7
Objectif 4							*Âme*
Jalon 1							
Jalon 2							
Jalon 3							
Jalon 4							
Autres tâches							

TROISIÈME PARTIE

SURMONTER LES OBSTACLES

CHAPITRE 7

Les obstacles sont inévitables

Vous avez un plan super. Cependant, il est peu probable qu'il soit aussi facile à réaliser en réalité qu'il n'en a l'air sur papier. Les obstacles et les revers sont inévitables et si vous désirez vraiment transformer vos rêves en réalité, il essentiel que vous preniez le temps d'envisager la façon dont vous allez les surmonter.

QUELS SONT VOS OBSTACLES ?

Un des meilleurs moyens de prédire les obstacles auxquels vous devrez faire face est de revoir ce qui s'est passé l'année précédente. Prenez quelques minutes pour répondre à ces questions :

- Quelle a été votre plus grande déception l'année dernière ?
- Quels autres revers avez-vous vécus l'année dernière ?
- Quels objectifs de l'année dernière n'avez-vous pas réussi à atteindre ?
- Quels ont été les principaux obstacles à votre réussite l'année dernière ?

Il est raisonnable de présumer que vous aurez encore à faire face à plusieurs des mêmes obstacles l'année prochaine.

En réfléchissant aux revers de l'année dernière, prenez votre cahier et faites une liste de ce qui pourrait vous empêcher d'atteindre les objectifs de l'année prochaine.

Je vais vous montrer comment composer avec tous les obstacles que vous avez écrits, mais avant de le faire, j'aimerais vous raconter l'histoire d'un homme qui a dû surmonter beaucoup plus d'obstacles que la plupart d'entre nous. Il s'appelait Art Berg et je l'ai entendu parler lors d'une conférence à laquelle j'ai assisté en Floride, en 2000. Son discours de 45 minutes fut l'une des présentations les plus intenses et les plus émouvantes que j'aie entendues.

Art Berg nous raconta ce qui lui était arrivé le jour de Noël, en 1983. Lorsqu'il se réveilla ce matin-là, la vie lui semblait parfaite. Il avait 21 ans, en pleine forme physique et il devait se marier avec l'amour de son enfance cinq semaines plus tard. Art se disait que Dieu devait avoir de grands projets pour lui. Mais ce n'était pas le cas.

Ce soir-là, vers 19 heures, Art entreprit un voyage de 15 heures en voiture avec un de ses amis, pour se rendre en Utah rejoindre sa fiancée pour le reste des vacances. Art conduisit la première moitié du trajet et laissa ensuite le volant à son ami. Il fut réveillé environ une heure plus tard par un violent choc : son ami s'était endormi au volant et la voiture avait frappé des poteaux de ciment. Son ami s'en sortit avec quelques coupures et blessures, mais Art, lui, ne fut pas aussi chanceux. Il subit des blessures majeures et eut le cou brisé. Les médecins parvinrent à lui sauver la vie, mais ils furent incapables de réparer les dommages causés à sa moelle épinière. À l'âge de 21 ans, Art se retrouva tétraplégique, paralysé à partir du cou.

Il nous est impossible d'imaginer comment on se sent face à une telle situation et plusieurs personnes ne trouveraient pas le courage de continuer à vivre. Or, Art trouva non seulement le courage de continuer à vivre, mais il trouva aussi un nouveau but en mettant au défi les gens qui lui disaient qu'il ne pourrait pas faire certaines choses. Ses médecins lui avaient dit qu'il était tétraplégique, mais il refusa d'accepter ce diagnostic. À leur grand étonnement, il parvint à retrouver l'usage complet d'un bras et l'usage partiel de l'autre. Ses médecins lui avaient dit qu'il passerait le reste de ses jours dans un fauteuil roulant électrique. Or, quatre mois plus tard, il sortit de l'hôpital en se poussant lui-même dans un fauteuil roulant manuel. Son physiothérapeute lui avait dit qu'il ne pourrait plus jamais s'habiller seul. Or, il y travailla d'arrache-pied et, cinq ans plus tard, il réussit à enfiler tous ses vêtements, tout seul.

Au cours des 19 années suivantes, Art Berg accomplit ce qui suit :

- Gagna trois prix nationaux en tant que vendeur d'ordinateurs.
- Fut nommé Jeune Entrepreneur de l'année en Utah, en 1992.
- Mit sur pied sa propre entreprise de conférences, ce qui impliquait des déplacements de plus de 320 000 kilomètres par année.
- Écrivit trois livres à succès.
- Termina un super marathon de fauteuil roulant de 520 kilomètres à travers le désert de l'Utah.
- Fit de la plongée sous-marine avec ses amis.
- Épousa sa fiancée et adopta deux enfants avec elle.

Je fus peiné d'apprendre la mort d'Art Berg en février 2003, suite aux effets secondaires d'un médicament. Sa vie aurait pu facilement devenir une tragédie, mais ce ne fut pas le cas. Ses réalisations au cours des 19 dernières années de sa vie représenteront toujours une inspiration pour nous tous.

Maintenant, regardez de nouveau la liste des obstacles qui pourraient vous empêcher de réaliser vos rêves. En gardant l'histoire d'Art en tête, voyons comment vous pourriez surmonter ces petites difficultés.

CHAPITRE 8

Si vous ne savez pas comment

« J'aimerais être un astronaute, un joueur de football ou une vedette pop, mais je ne sais pas où commencer. »

Si vous vous répétez cette phrase assez souvent, vous vous convaincrez qu'elle est vraie et elle deviendra une prophétie se réalisant par elle-même.

Si vous voulez faire quelque chose, mais ne savez pas par où commencer, la solution se résume en cinq mots :

Trouvez quelqu'un qui le sait.

Quel que soit le métier que vous voulez faire, il y a de fortes chances qu'auparavant quelqu'un ait déjà pratiqué ce métier ou qu'il ait fait quelque chose qui, du moins, s'y apparente. S'il vous est possible de découvrir comment il a réussi, vous serez mieux placé pour prendre exemple de ses réalisations.

Imaginons, par exemple, que votre ambition est de devenir le champion mondial des poids lourds de boxe. Vous pourriez commencer par acheter des biographies, ou, mieux encore, des autobiographies de certains anciens champions tels que Mohammed Ali, Henry Cooper et Lennox Lewis. L'objectif que vous vous fixez en lisant ces livres n'est pas d'apprendre à boxer – il est préférable d'aller au gym pour cela –, mais à découvrir ce qui a motivé ces hommes à devenir champions du monde. Comment ont-ils eu leur première chance ? Quels sacrifices ont-il dû faire pour arriver au sommet ? Leur psyché est tout aussi importante que leurs compétences.

C'est pour cette raison qu'il est important de lire, autant que possible, différentes biographies sur une même personne. Vous trouverez dans chacune de nouveaux détails et de nouvelles perspectives, et plus vous en saurez, plus vous serez bien équipé pour trouver le chemin de la réussite.

Vous pourriez ensuite effectuer une recherche sur Internet afin de trouver des articles sur tous les anciens champions. Si vous n'avez pas accès à un ordinateur, rendez-vous à la bibliothèque de votre quartier ou dans un café Internet. Imprimez autant d'articles que possible. Ce genre de recherche ressemble à l'activité de peler un oignon : il y a toujours une autre couche à découvrir. Renseignez-vous sur les films qui ont été réalisés sur ces anciens champions et essayez d'en visionner le plus possible. Ils vous raconteront souvent une version hollywoodienne légèrement « aseptisée » des événements réels, mais vous obtiendrez quand même suffisamment de renseignements utiles.

Après avoir trouvé tout ce que vous pouvez des sources publiques, vous pourriez établir une liste des champions qui sont toujours en vie et que vous aimeriez rencontrer, ainsi que les questions que vous aimeriez leur poser. Transposez ces questions dans une courte lettre que vous pourriez leur faire parvenir. Je suis très sérieux. Selon mon expérience, les gens qui ont atteint le sommet dans leur domaine sont souvent disposés à aider les autres qui sont sur la même voie. Les conseils qu'ils pourraient vous prodiguer et le fait qu'ils se donnent la peine de vous répondre pourraient avoir un impact important sur l'avenir de votre réussite. Même une réponse d'un de leurs assistants pourrait être utile et motivante.

Vous devriez cependant envisager une rencontre. Il se passe toujours quelque chose de magique lors d'une rencontre en tête-à-tête, même si elle est brève ; quelque chose que rien d'autre ne peut vous procurer. Cela peut être plus facile à organiser que vous ne le croyez. Regardez sur Internet pour voir si certaines de vos idoles doivent bientôt prendre la parole publiquement. Si tel est le cas, faites tout en votre possible pour obtenir une place aux premières loges. Si aucune de vos idoles n'intervient publiquement, trouvez-en d'autres qui le font ou essayez d'organiser une rencontre avec l'un de leurs assistants. Chaque parcelle de connaissance que vous pourrez ainsi acquérir vous aidera à réaliser votre rêve.

Par ma propre expérience, je peux témoigner de l'efficacité de ce procédé. Je me souviens très bien du jour où j'ai décidé d'établir ma fondation pour venir en aide aux adolescents. Nous étions en juillet 2000, et un des participants d'un cours que j'avais présenté à Southampton avait passé dix minutes à me dire à quel point il aurait souhaité pouvoir assister à mon séminaire vingt ans plus tôt, alors qu'il était encore à l'école. Plusieurs autres personnes m'avaient souvent dit la même chose auparavant, mais pour une raison inconnue, le commentaire de cet homme m'interpella énormément.

J'ai passé tout le voyage du retour à réfléchir à ce qu'il m'avait dit. Au moment d'arriver, j'avais décidé d'établir une fondation pour rendre mon enseignement accessible aux jeunes gens. À l'époque, je n'avais pas discuté avec un adolescent depuis vingt ans ! Je n'avais pas la moindre idée de la façon dont j'allais adapter mon séminaire pour un public plus jeune, et pendant un instant, je me suis dit : « Je serais incapable de faire ça. Je ne saurais pas par où commencer. »

Aussitôt que j'ai pris conscience de ce que je pensais, je me suis mis à rire et j'ai dit à voix haute : « Alors tu dois trouver quelqu'un qui le sait. »

J'ai commencé par regarder sur le site de Amazon, la librairie en ligne, et j'ai commandé quelques douzaines de livres portant sur les conseils de carrière et la planification des objectifs pour les jeunes. J'ai ensuite engagé un chercheur Internet pour trouver des gens qui donnaient des conférences sur le sujet et pour savoir ce qui se passait dans les écoles de Grande-Bretagne, en ce moment. J'ai appris que la plupart du travail qui avait été effectué dans ce domaine avait été fait aux États-Unis ; j'ai alors réservé une place pour assister à un camp d'une semaine qui enseigne aux adolescents américains exactement les compétences que je voulais enseigner. Pendant que j'y étais, je me suis efforcé de parler avec le plus grand nombre de gens de mon intention de faire quelque chose de semblable en Grande-Bretagne. J'ai réussi à parler à tous les conférenciers principaux et j'ai reçu énormément d'encouragement et de conseils pratiques.

Un professeur de l'Arizona, nommé Manny Leybas, qui enseigne la détermination des objectifs à ses étudiants depuis dix ans, me donna son meilleur conseil pour garder l'intérêt de son public. « Choisissez une rangée de dix personnes au hasard, me dit-il. Si plus de trois d'entre elles ne sont pas attentives, alors vous devez immédiatement changer de sujet. » C'était un merveilleux conseil que j'ai souvent utilisé depuis.

Un psychoéducateur, nommé Dr. Larry Martell, m'a appris comment utiliser les vidéos et autres outils visuels pour accroître la durée d'attention d'un jeune public. Son conseil, basé sur de méticuleuses recherches scientifiques, est si simple qu'il peut être résumé en une seule phrase : « Vous ne devez pas vous attendre à ce que les gens soient constamment attentifs, alors laissez jouer une vidéo dans un coin de la salle pour occuper les participants durant ces moments d'inattention.» Lorsque j'ai utilisé son conseil, cela a eu un effet immédiat sur la concentration de mon auditoire.

Mais le conseil le plus précieux me fut offert par un conférencier du nom de Marlon Smith. Marlon est président d'un organisme nommé Success by Choice (La réussite par choix) et il donne des conférences aux jeunes à travers le monde. Je n'avais jamais entendu parler de Marlon avant de venir à ce camp et j'avais manqué sa conférence en raison d'un conflit d'horaire avec la conférence d'un autre conférencier que je voulais entendre dans la salle adjacente. Quelques minutes après m'être attablé pour le souper ce soir-là, je compris que j'avais commis une erreur en manquant la conférence de Marlon. Les jeunes gens qui étaient à ma table et qui l'avaient entendu débordaient d'enthousiasme. Ils étaient tous d'accord qu'il s'agissait du meilleur conférencier de la semaine. Je me suis dit qu'il fallait absolument que je rencontre ce type.

Le lendemain, je suis allé voir Marlon et je me suis présenté. Je lui ai dit que les étudiants étaient tous d'accord que sa session était la meilleure de la semaine. Je lui ai demandé des renseignements supplémentaires sur sa présentation et je lui ai parlé un peu de mon travail en Grande-Bretagne. Nous ne nous sommes parlé qu'une dizaine de minutes, mais j'ai ressenti une complicité immédiate avec lui et je lui ai laissé mes coordonnées.

Deux mois plus tard, je reçus un coup de téléphone. Marlon était de passage en Grande-Bretagne, en chemin pour l'Afrique du Sud, et il voulait savoir si je voulais le rencontrer une journée. Je me suis dit: «Quelle belle occasion de passer une journée entière avec l'un des meilleurs conférenciers au monde.» J'ai rencontré Marlon à l'aéroport de Heathrow à sept heures, un lundi matin. Il arrivait d'un vol de nuit de neuf heures en provenance des États-Unis et devait prendre un autre vol de neuf heures plus tard dans la soirée. Il n'aurait pas été convenable de ma part de passer une journée entière à le bombarder de questions, alors nous passâmes une journée agréable à nous promener dans la ville et à jaser de choses et d'autres.

Le soir même, lors du souper, le moment me parut enfin opportun pour lui poser la question que j'avais attendu de poser toute la journée. « Marlon, lui dis-je, quel conseil pourriez-vous donner à un conférencier expérimenté sur la façon dont il pourrait adapter son enseignement pour un public plus jeune ? »

Sa réponse me prit par surprise. « Adam, me dit-il, vous devez garder en tête qu'avec un jeune public la journée sera gagnée ou perdue avant même que vous ayez eu le temps de dire "Bonjour". Je vous conseille donc d'investir dans le meilleur équipement audiovisuel que vous pouvez vous permettre, et de préparer une fascinante présentation audiovisuelle pour commencer la journée en grand. » Puis, il changea de sujet.

De nouveau, son conseil était si simple qu'il pouvait être résumé dans une seule phrase, mais je savais instinctivement que Marlon avait raison. J'ai suivi son conseil à la lettre et j'ai dépensé des milliers de dollars pour me procurer un nouveau système de son et un projecteur à la fine pointe de la technologie pour m'assurer que la journée allait débuter avec aplomb. Avec le recul, je constate que ce fut probablement le facteur clé qui contribua au succès de mes premiers séminaires.

Les leçons apprises de Manny Leybas, de Larry Martell et de Marlon Smith étaient en réalité très simples. Mais il s'agissait de leçons que seuls des gens qui avaient passé des années à travailler pour se rendre au sommet de leur profession auraient pu m'enseigner. J'aurais pu apprendre ces leçons à la dure, mais cela aurait été un terrible gaspillage de mon temps et de mes ressources.

Il n'y a aucune excuse dans un monde rempli de connaissances. Si vous ne savez pas comment faire quelque chose, trouvez quelqu'un qui le sait.

CHAPITRE 9

Si vous craignez les réactions des autres

« Tu ne réaliseras jamais cela. »

« Ne sois pas si stupide. »

« Mais pour qui te prends-tu ? »

Combien de fois vos amis et votre famille ont-ils jugé vos rêves avec de tels commentaires ? Nous verrons, dans un instant, ce que vous pouvez faire pour préserver votre motivation face à de telles critiques. Mais avant, il serait peut-être utile de comprendre pourquoi tant de gens sont tellement négatifs envers les rêves des autres.

Certains sont tout simplement jaloux – dans leur for intérieur, ils ne veulent pas que vous réussissiez. D'autres, et cela est particulièrement vrai des parents, essaient de vous protéger des déceptions qu'ils envisagent comme étant inévitables. Mais la majeure partie du temps, l'hostilité que démontrent les gens est causée par la peur. Ils ont peur que si vous réalisez vos rêves, vous serez mieux qu'ils ne le sont et ne voudrez plus passer du temps avec eux. Lorsque vous aurez compris cela, vous verrez leur hostilité et leur négativisme d'une tout autre façon. Au lieu de prendre leurs commentaires au sérieux, vous les prendrez silencieusement en pitié, en sachant y reconnaître l'irrémédiable insécurité dont ces commentaires émanent. D'où qu'il ne sert à rien de discuter avec de telles personnes. En effet, vous n'arriverez pas à les convaincre de vous soutenir, tandis que l'énergie que vous perdrez à essayer pourrait plutôt être réservée à la poursuite, voire la réalisation de vos objectifs.

COMPOSER AVEC LES COMMENTAIRES NÉGATIFS

Si les gens passent des commentaires négatifs au sujet de vos plans, il est préférable de changer de sujet le plus rapidement possible afin de minimiser l'effet sur votre confiance en vous-même.

Si vous craignez qu'un commentaire négatif ait pu affecter votre moral, relisez de nouveau vos objectifs le plus rapidement possible.

- Rappelez-vous les raisons pour lesquelles vous devez atteindre cet objectif. Rappelez-vous ce qu'il vous en coûterait ainsi qu'à vos proches si vous ne réalisiez pas votre objectif.
- Assurez-vous que les stratégies que vous avez élaborées pour atteindre cet objectif soient encore les meilleures.
- Regardez tous les jalons que vous avez déjà atteints et rappelez-vous qu'il serait dommage de tout abandonner maintenant.

Cette technique devrait vous permettre de retrouver rapidement votre motivation et votre confiance en vous.

Cependant, il pourrait aussi être préférable d'éviter de vous mettre dans une telle situation. Si vous savez qu'un ami ou un membre de votre famille réagira de façon négative envers vos plans, alors il serait mieux que vous n'en parliez pas. J'irais même plus loin. Si un ami en particulier réagit constamment de façon négative envers vos plans d'avenir, vous pourriez même remettre en question le but de cette amitié et réévaluer si, après tout, vous avez besoin d'une telle personne dans votre vie.

OBTENIR DU SOUTIEN

Les gens négatifs peuvent miner votre moral, mais les gens positifs peuvent au contraire avoir un effet très bénéfique. La pression des pairs exerce un grand pouvoir. Comme le dit le vieux dicton : « Vous devenez comme ceux avec lesquels vous passez du temps. »

Vous augmenterez grandement vos chances de réaliser vos rêves si vous vous entourez de gens énergiques, positifs et qui vous apportent leur soutien.

Prenez quelques instants pour faire la liste de tous les gens que vous connaissez et sur lesquels vous pouvez compter et qui vous soutiennent entièrement dans tout ce que vous entreprenez.

Si votre liste contient moins de dix noms, je vous suggère de réfléchir à ce que vous pourriez faire pour rencontrer plus de gens positifs et encourageants. Cette étape est d'une telle importance que vous devrez peut-être prendre des mesures radicales.

- Devriez-vous envisager un nouveau passe-temps ?
- Devriez-vous déménager ?
- Devriez-vous changer d'emploi ?

Souvenez-vous, vous devenez comme ceux avec lesquels vous passez du temps. Réfléchissez aux gens avec lesquels vous passez la majorité de votre temps en ce moment et demandez-vous honnêtement : « Est-ce que je désire devenir comme cette personne dans 5 ou 10 ans ? »

Prenez quelques minutes pour réfléchir aux changements que vous devrez peut-être faire à ce sujet avant d'entreprendre le prochain chapitre.

CHAPITRE 10

Si vous avez peur de faire des erreurs

J'aimerais vous raconter l'histoire de deux personnes célèbres, un écrivain et un sportif. Le nom de l'écrivain est J.D. Salinger et il est devenu célèbre après la publication de son roman, *The Catcher in the Rye*, qu'il a écrit à l'âge de 26 ans. Lorsque je raconte cette histoire durant mes séminaires, je demande aux gens si quelqu'un se rappelle du nom de son deuxième livre. Personne n'en est capable. J. D. Salinger a apparemment écrit plusieurs autres romans au cours de sa vie, mais, à l'exception de plusieurs nouvelles, il n'a jamais publié un autre roman. Pourquoi ? Il était apparemment inquiet qu'un second roman ne soit pas considéré comme étant aussi bon que le premier !

Pour faire contraste avec l'histoire précédente, voici l'histoire d'un très mauvais joueur de basket-ball. Il était tellement mauvais qu'il avait *raté* près de 100 000 paniers durant sa carrière professionnelle. Il s'appelait Michael Jordan et malgré plus de 100 000 « erreurs » devant des millions de partisans, il a finalement réussi suffisamment de paniers pour devenir le meilleur joueur de basket-ball du monde.

Il est normal de faire des erreurs, cela est sain et fait essentiellement partie du processus d'apprentissage. Nous savons tous cela. Alors pourquoi un si grand nombre de personnes ont-elles peur de faire la moindre erreur ?

LE COMPORTEMENT PERFECTIONNISTE

La réponse se trouve au cœur de l'enfance. Les gens qui ont peur de faire des erreurs ont appris ce comportement très tôt. Ils ont habituellement en commun un parent qui portait des jugements et qui critiquait ; un parent à qui il était difficile de faire plaisir, et dont l'amour était conditionnel à la performance ou à l'intelligence.

L'approbation parentale est essentielle pour un enfant. Sans elle, un enfant pourrait littéralement mourir. En rendant cette approbation conditionnelle au comportement, de tels parents établissent involontairement des types de comportement perfectionniste dont les conséquences se répercuteront au cours de toute la vie de leurs enfants.

Le comportement perfectionniste se manifeste de différentes façons :

- Beaucoup de gens ont peur de faire des erreurs et de prendre les mauvaises décisions. Certains deviennent tellement préoccupés à l'idée de ne pas prendre la bonne décision qu'ils finissent par avoir de la difficulté à prendre les décisions les plus simples, comme le choix d'une destination vacances ou d'un plat au restaurant.
- Certaines personnes deviennent difficiles à un point tel que leur plaisir est gâché si tout n'est pas parfait dans les moindres détails.
- Certaines personnes peuvent passer des heures à se demander si elles prennent la bonne décision ou à ruminer au sujet de décisions qui ont déjà été prises.

- Certaines personnes deviennent des bourreaux de travail, car elles gaspillent des heures à peaufiner des travaux sans importance.
- Certaines personnes deviennent tellement obsédées à l'idée de trouver le partenaire parfait qu'elles sont incapables de s'engager dans une relation à long terme.
- Certaines personnes tergiversent tellement sur certaines décisions que la décision est finalement prise pour elles par quelqu'un d'autre.
- Certaines personnes développent un souci obsessionnel de l'ordre.
- Certaines personnes ne supportent pas d'être critiquées.

De tels comportements peuvent entraîner des conséquences désastreuses. Ils vous empêcheront, non seulement d'atteindre vos objectifs, mais, si vous n'y voyez pas, ils vous isoleront des gens que vous aimez, affecteront votre santé et vous priveront de tout sentiment de satisfaction envers vos réalisations. Que pouvez-vous faire ?

CHANGER UN COMPORTEMENT PERFECTIONNISTE

Tout d'abord, j'aimerais que vous commenciez par faire une liste de tous les comportements perfectionnistes que vous aimeriez changer, par exemple une propreté extrême, la procrastination, la rumination, l'ergonomie, le perfectionnisme au travail, la peur de faire des erreurs, etc.

Appliquez maintenant ce processus en huit étapes à chacun des comportements indésirables.

- Quel comportement est-ce que je veux changer ?
  – par exemple, l'incapacité à prendre des décisions.

- Qu'est-ce que ce comportement m'a coûté jusqu'à maintenant ?
  - des heures d'inquiétudes inutiles au sujet des moindres décisions.
  - devoir acheter mon deuxième choix de voiture parce que mon ancienne voiture s'est brisée avant que j'aie finalement décidé ce que je voulais acheter et mon premier choix n'est plus disponible.
  - la perte de mes vacances de Noël l'année dernière parce que, lorsque j'ai finalement décidé de ma destination, tous les vols étaient complets.
- Que me coûterait ce comportement dans l'avenir ?
  - le respect de ma famille.
  - mon propre respect de moi-même.
  - des occasions d'affaires ratées.
  - des milliers d'heures inutiles gaspillées à prendre la moindre décision.
- Qu'est-ce que ce comportement a déjà coûté aux gens que j'aime ?
  - les enfants étaient très déçus des vacances de Noël.
- Que pourrait coûter ce comportement aux gens que j'aime à l'avenir ?
  - d'autres vacances ratées.
  - plus de temps passé en compagnie d'un parent/conjoint irritable.
- Pourquoi dois-je changer ce comportement ?
  - parce qu'il m'en coûtera le respect de moi-même.

– parce qu'il me coûtera le respect de ma famille.

– parce que je mérite mieux.

– parce que si je continue à me comporter de cette façon, ça me coûtera mon destin.

- Quels gestes spécifiques puis-je poser pour changer ce comportement ?

– prendre toutes les décisions à venir sur papier au lieu de les prendre dans ma tête.

– déterminer une date butoir pour chaque nouvelle décision.

– si la date est passée, faire pile ou face pour décider.

– faire une liste des pires conséquences de prendre la mauvaise décision. L'afficher sur le mur et me rappeler qu'aucune n'est aussi dommageable que le terrible processus de la procrastination.

- Comment puis-je me récompenser d'avoir changé de comportement ?

– lorsque je prendrai la prochaine décision avant la date butoir que je me suis fixée, je m'offrirai une journée à la piste de courses.

Répétez ce processus avec chaque comportement que vous voulez modifier, et suivez la situation de près durant trois mois. De nombreuses personnes sont agréablement surprises de constater à quel point il est facile de changer un comportement qui les a handicapées pendant des années.

CHAPITRE 11

Si vous manquez de confiance

« Tu ne réaliseras jamais cela. »

« Tu es un tel idiot. »

« Quel stupide imbécile. »

Si quelqu'un vous parle constamment de cette façon, vous devriez envisager, comme je l'ai mentionné auparavant, de vous défaire de cette personne de façon permanente. Mais que faire si vous êtes vous-même l'abuseur ? Nous avons tous une petite voix intérieure qui, chaque jour, nous bombarde de telles insultes. Ce genre d'autoconversation est extrêmement dommageable. Si vous désirez vraiment atteindre vos objectifs, vous allez devoir changer certaines choses.

ÉCOUTER VOTRE VOIX INTÉRIEURE

J'aimerais tout d'abord que vous écriviez tout ce que votre voix intérieure vous dit sur une base régulière.

- Que vous dit-elle lorsque vous avez fait une erreur ? « Quel idiot » ?
- Que vous dit-elle lorsqu'elle veut vous empêcher d'essayer quelque chose de nouveau ? « Tu ne réaliseras jamais cela » ?

- Quelles questions négatives vous pose-t-elle jour après jour ? « Pourquoi est-tu si stupide ? »

Prenez quelques minutes et écrivez toutes les choses négatives que votre voix intérieure vous dit.

Lisez maintenant cette liste de nouveau. Lisez chacune de ces choses négatives à voix haute. Lisez-les avec émotion.

Comment vous sentez-vous ? Probablement assez démoralisé. Mais vous vous dites néanmoins ces mêmes choses jour après jour, semaine après semaine, année après année. Il n'est pas surprenant que vous manquiez de confiance en vous. Vous devez régler ce problème, n'est-ce pas ? Mais comment ?

Il est essentiel que vous compreniez que ce que vous dites n'est pas aussi important que la *façon* dont vous le dites. Laissez-moi vous expliquer ce que je veux dire.

- Prenez la chose la plus nuisible que votre voix intérieure vous dise.
- Réfléchissez maintenant à la chose la plus stupide à laquelle vous pouvez penser : à la voix de Donald le canard, par exemple, ou à une voix très haute, ou une voix avec un accent ridicule. Laissez aller votre imagination. Pensez à la voix la plus ridicule qui soit.
- Prenez maintenant la phrase la plus nuisible que votre voix intérieure vous dise et répétez-la avec cette voix ridicule. Répétez-la plusieurs fois. Dites-la à voix haute. Dites-la dix fois.

Comment vous sentez vous maintenant ? Votre voix intérieure a-t-elle le même pouvoir démoralisant lorsqu'elle est forcée de parler de cette façon ? J'en doute fort. Cette technique peut sembler étrange, mais elle est remarquablement efficace pour de nombreuses personnes. Essayez-la la prochaine fois que votre voix intérieure vous dira quelque chose de démoralisant.

CROYANCES NÉGATIVES

Cependant, le problème avec certaines personnes, c'est que cette voix négative les démoralise depuis des années. Si c'est votre cas, aucune technique motivationnelle ne pourra renverser du jour au lendemain les dommages qui ont été causés au cours des années. Si, par exemple, vous avez passé les dix dernières années à vous dire que vous êtes stupide, une partie de vous-même en est venu à croire que cela est vrai.

La plupart d'entre nous entretenons un certain nombre de croyances négatives envers nous-mêmes, parfois, inconsciemment, mais elles n'en ont pas moins un effet dévastateur sur notre motivation, sur notre capacité de réalisation et sur notre sentiment de bonheur et de bien-être.

DÉCOUVRIR VOS CROYANCES NÉGATIVES

Quelles sont les croyances négatives que vous entretenez à votre sujet ? Que pensez-vous de vous-même lorsque votre moral est à son plus bas ? Vous surprenez-vous parfois à penser « Je ne serais jamais capable de faire cela » ou « Je ne suis pas le genre de personne qui peut faire cela » ?

- Prenez quelques minutes et écrivez dans votre cahier de notes toutes les croyances négatives ou restrictives que vous entretenez envers vous-même.
- Maintenant, comment percevez-vous les autres lorsque vous êtes démoralisé ? Par exemple, « La plupart des gens sont plus intelligents que moi » ou « La majorité des gens ne m'aiment pas ». Prenez quelques instants pour écrire toutes les croyances négatives ou restrictives que vous entretenez envers les autres.
- Puis, écrivez comment vous percevez le monde lorsque vous êtes démoralisé. Par exemple, « La vie est si injuste ».

Prenez un moment pour écrire toutes les croyances que vous entretenez envers la société ou le monde en général.

- Maintenant, regardez froidement ces croyances. Sont-elles vraies ? Êtes-vous réellement stupide ? Est-ce vrai que la majorité des gens ne vous aiment pas ? La vie est-elle injuste ? Bien sûr que non. Il s'agit seulement de cette damnée voix intérieure qui vous parle de nouveau, n'est-ce pas ?
- Alors mettez-vous donc dans un état d'esprit plus positif. Souvenez-vous des moments où vous étiez à votre meilleur. Et dans un état d'esprit fort et positif, passez à travers les années et faites une liste de toutes les choses que vous avez accomplies avec fierté. Faites cette liste avant de poursuivre votre lecture.
- Relisez maintenant cette liste deux ou trois fois. Relisez chaque réalisation à voix haute avec un ton fort et fier, d'une voix qui rend justice à toutes vos réalisations.
- Restez encore dans cet état d'esprit fort et positif et revoyez de nouveau votre liste de croyances négatives. Lisez chacune d'elles et écrivez à côté une croyance plus juste. Par exemple, si la vieille croyance qui vous enlevait votre confiance était « Je ne pourrais jamais faire une telle chose », la nouvelle croyance qui pourrait vous donner du pouvoir serait « Je peux accomplir tout ce que je décide faire ».
- Lorsque vous avez terminé, relisez à voix haute chaque paire de croyances. Dans une voix haute au ton ridicule, dites « Je croyais que je ne pourrais jamais faire une telle chose. » Puis, rayez cette vieille croyance. Changez votre ton de voix et dites avec autorité et confiance, « Quelle foutaise ! La vérité est que je peux accomplir n'importe quoi si je le décide ».

- Certaines personnes font une affiche de leurs nouvelles croyances et la mettent au mur. Certaines autres préfèrent brûler leur vieille liste de croyances restrictives. Cela les aide à signifier qu'elles les ont abandonnées pour toujours.

- Finalement, combinez les deux parties de l'exercice. Lisez votre liste de références positives d'une voix forte et positive. Puis, lisez ensuite la liste de vos croyances qui vous donnent du pouvoir d'un ton confiant et autoritaire.

Comment est votre confiance maintenant ? Êtes-vous certain de pouvoir réaliser vos objectifs ? Vous pouvez répéter cet exercice aussi souvent que nécessaire lorsque vous sentez que vous manquez de confiance.

CHAPITRE 12

Si vous manquez de motivation

Aussi excitants que puissent être vos objectifs, il y aura des moments où vous n'aurez pas envie de travailler pour les atteindre. Le diagramme de la page suivante résume parfaitement ce sentiment.

Vous connaissez le résultat que vous essayez d'atteindre, par exemple un corps sain. Vous savez aussi parfaitement ce que vous devez faire pour atteindre ce résultat, par exemple vous alimenter de façon saine, faire de l'exercice et bien dormir. Alors qu'est-ce qui vous en empêche ? Mais ce sont vos propres émotions qui vous arrêtent. Lorsque vous êtes heureux et excité, vous n'avez aucune difficulté à trouver la motivation requise pour atteindre vos objectifs. Mais lorsque vous êtes triste, il est tellement plus facile de vous écraser devant le téléviseur toute la journée et de manger de la camelote.

La prochaine question que vous devez poser est donc : qui contrôle mes émotions ? Et la réponse est que *vous* les contrôlez ; du moins, vous pourriez si vous saviez comment faire.

La plupart des gens estiment qu'il leur est impossible de contrôler leurs humeurs, ce qui est faux. Afin de vous sentir d'une certaine façon, vous devez faire un certain nombre de choses très spécifiques. Lorsque vous saurez lesquelles, vous constaterez que vous serez en mesure de changer la façon dont vous vous sentez en un instant.

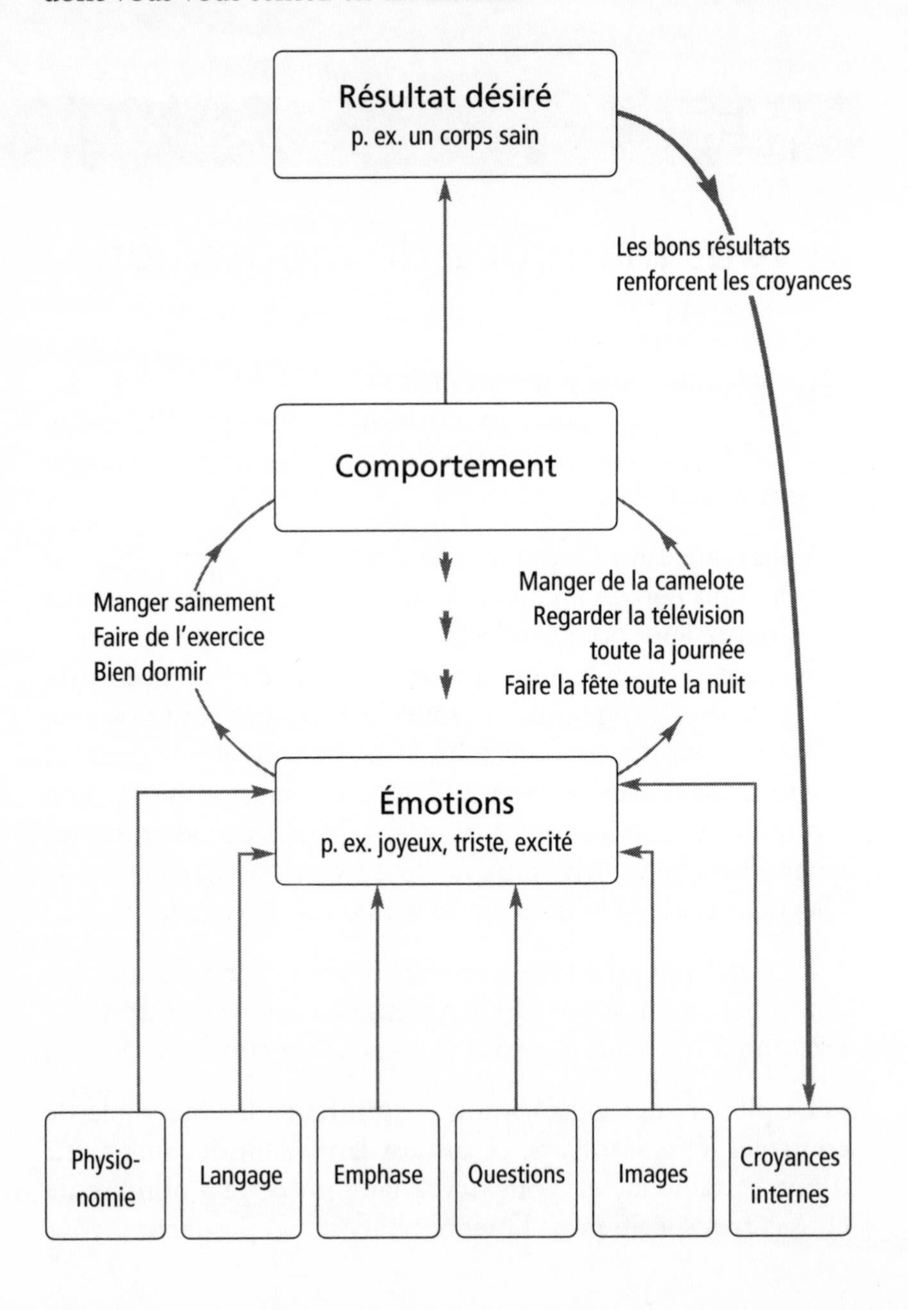

Je vais vous démontrer ceci à l'aide d'un exercice. Il vous sera beaucoup plus facile de faire cet exercice si vous pouvez trouver quelqu'un pour le faire avec vous. Il ne vous est pas nécessaire de partager vos secrets les plus intimes avec cette personne. Vous avez tout simplement besoin de quelqu'un qui peut vous lire l'exercice, observer ce que vous faites et écrire le tout. Je prends donc pour acquis, à partir de maintenant, que vous avez trouvé quelqu'un pour vous aider. S'il vous est impossible de trouver quelqu'un, vous devrez faire votre possible pour écrire de mémoire ce que vous aurez fait.

Passez le livre à votre partenaire et demandez-lui de vous lire l'exercice. Il aura besoin de papier et d'un stylo pour écrire vos réponses. Vous trouverez ci-dessous un tableau de « Votre stratégie personnelle de réussite » qu'il peut copier et remplir.

Votre stratégie personnelle de réussite

Ce qui m'enlève du pouvoir	*Ce qui me donne du pouvoir*
Physionomie	
Yeux baissés	Yeux vers le haut

Langage

Je devrais, je vais essayer	Je dois, je vais

Emphase

Mon dernier échec	Ma dernière réussite

Questions

Que faire si j'échoue ?	Comment vais-je profiter de ma réussite ?

Croyances

Je suis incapable de faire cela	Je fais très bien cela

Images internes

Nombre d'images :	
Couleur/noir et blanc :	
Lumineux/sombre :	
Précise/floue :	
Forme :	
Grandeur par rapport à la réalité :	
Encadrée/panoramique :	
3D/plat :	
Rapprochée/éloignée :	
En mouvement/immobile :	
Êtes-vous dans l'image ? :	
Le lieu :	
Lectures supplémentaires :	

Utilisé avec la permission du Dr. Richard Bandler, 2004.

EXERCICE (à être lu par votre partenaire)

- Je vous demanderais de fermer vos yeux et de vous rappeler un moment où vous aviez beaucoup de difficulté à vous motiver pour faire quelque chose. Mettez-vous dans l'état d'esprit dans lequel vous étiez à ce moment. Voyez, visualisez ce que vous avez vu, entendez ce que vous avez entendu, dites ce que vous vous êtes dit.

- Tenez-vous maintenant de la façon dont vous vous tenez lorsque vous n'êtes vraiment pas motivé à faire quelque chose. (*Partenaire : inscrire la façon dont la personne se tient sur le côté gauche du tableau.*)

- Dites-vous maintenant ce que vous vous dites lorsque vous n'êtes vraiment pas motivé à faire quelque chose. (*Partenaire : inscrire aussi ceci sur le tableau.*)

- Concentrez-vous maintenant sur les facteurs sur lesquels vous vous concentrez lorsque vous n'êtes vraiment pas motivé à faire quelque chose. Vous concentrez-vous sur votre dernier échec ou votre dernière réussite ? Vous préoccupez-vous de la facilité de la tâche ou de sa difficulté ? (*Partenaire : inscrire aussi ceci sur le tableau.*)

- Pendant que vous êtes toujours dans cet état d'impuissance qui vous empêche d'être motivé à faire quelque chose, posez-vous les questions que vous vous posez. Ces questions sont-elles positives telles que la question « Quel sentiment d'accomplissement vais-je ressentir après voir fait cela ? » Ou alors sont-elles négatives telles que dans la question « Que faire si j'échoue ? » (*Partenaire : inscrire les réponses.*)

- Maintenant que croyez-vous lorsque vous n'êtes vraiment pas motivé à faire quelque chose ? Avez-vous des croyances négatives telles que « Je suis incapable de faire cela» ou «Le monde entier est contre moi»? (*Partenaire: inscrire ceci.*)

- Finalement, pendant que vous êtes toujours dans cet état d'impuissance, j'aimerais que vous vous fassiez une image mentale d'une chose que vous n'êtes vraiment pas motivé à faire. De quoi a l'air cette image? Est-elle en couleur ou en noir et blanc? Est-elle éclairée ou sombre? Est-elle précise ou floue? Quelle forme a-t-elle? Quelle grosseur a-t-elle par rapport à la réalité? Est-elle encadrée ou panoramique? Est-elle en trois dimensions ou plate? Est-elle près de vous ou éloignée? Est-ce une image qui bouge ou est-elle immobile? Vous voyez-vous dans l'image? Maintenant, pointez en direction de l'image dans l'espace. (*Partenaire: inscrire en détail les réponses à chacune des questions.*)
- Ouvrez maintenant vos yeux et secouez-vous pour vous sortir de cet état d'impuissance et revenir à une humeur neutre. (Pour certaines personnes, cela peut prendre quelques minutes.)
- Refermez maintenant vos yeux de nouveau et souvenez-vous d'un moment où vous aviez hâte de faire quelque chose. Pensez à ce moment où vous étiez tellement motivé à l'idée de faire quelque chose que vous trembliez d'excitation. Tenez-vous maintenant de la façon dont vous vous tenez lorsque vous êtes réellement motivé à l'idée de faire quelque chose. Respirez comme vous le faites lorsque vous êtes réellement motivé à l'idée de faire quelque chose. (*Partenaire: inscrire la façon dont la personne se tient, sur le côté droit du tableau.*)

- Maintenant dites-vous ce que vous vous dites lorsque vous êtes réellement motivé à faire quelque chose. (*Partenaire: inscrire ceci.*)

- Concentrez-vous maintenant sur les facteurs sur lesquels vous vous concentrez lorsque vous êtes vraiment motivé à faire quelque chose. (*Partenaire: inscrire ceci.*)

- Posez-vous les questions que vous vous posez lorsque vous êtes vraiment motivé à faire quelque chose. (*Partenaire: inscrivez-les.*)

- Maintenant que croyez-vous lorsque vous êtes réellement motivé à faire quelque chose ? Quelles sont vos croyances à votre sujet ? Quelles sont vos croyances au sujet des autres ? Quelles sont vos croyances au sujet du monde ? (*Partenaire: inscrire ceci.*)

- Finalement, figurez-vous une image mentale de la façon dont vous êtes lorsque vous êtes vraiment motivé à faire quelque chose, à savoir une image de vous lorsque vous êtes tellement excité que vous ne pouvez attendre plus longtemps avant de commencer. (*Partenaire: inscrire ceci en détail.*) De quoi a l'air cette image ? Est-elle en couleur ou en noir et blanc ? Est-elle éclairée ou sombre ? Est-elle précise ou floue ? Quelle forme a-t-elle ? Quelle grosseur a-t-elle par rapport à la réalité ? Est-elle encadrée ou panoramique ? Est-elle en trois dimensions ou plate ? Est-elle près de vous ou éloignée ? Est-ce une image qui bouge ou est-elle immobile ? Vous voyez-vous dans l'image ? Maintenant, pointez en direction de l'image dans l'espace. (*Partenaire: inscrire en détail les réponses à chacune des questions.*)

- Appréciez le sentiment pendant quelques minutes, et lorsque vous êtes prêt, ouvrez les yeux et observez bien comment vous vous sentez.

Comparez maintenant les notes que votre partenaire a prises dans les colonnes de gauche et de droite. Sont-elles très différentes ? Je serais très surpris qu'elles ne le soient pas.

La majorité des gens croient que parce qu'ils se sentent misérables, ils baissent les yeux vers le sol, penchent leurs épaules vers l'avant, relâchent leurs muscles et cessent de respirer correctement. Laissez-moi vous dire quelque chose de très étonnant : ça ne fonctionne pas du tout comme ça. C'est exactement le contraire. Vous n'adoptez pas une mauvaise posture parce que vous vous sentez misérable, mais plutôt vous vous sentez misérable parce que vous adoptez une mauvaise posture.

Lorsque vous avez compris cela, vous pouvez, en quelques instants, changer la façon dont vous vous sentez. Laissez-moi vous le prouver avec la deuxième partie de l'exercice. (Il est aussi plus facile de faire cette partie avec un partenaire.)

- J'aimerais que vous réfléchissiez à une chose à faire pour laquelle vous ne vous sentez vraiment pas motivé. Fermez vos yeux et créez une image mentale de la situation. Puis demandez à votre partenaire de vous lire les instructions qui suivent. Il aura besoin du tableau « Votre stratégie personnelle de réussite » qu'il vient de remplir.
- En gardant en tête cette image de vous alors que vous ne vous sentez vraiment pas motivé à faire quelque chose, je vous demanderais de vous tenir de la manière dont vous vous tenez lorsque vous êtes réellement motivé à faire quelque chose. Je vous demanderais de respirer comme vous respirez lorsque vous avez hâte de faire quelque

chose. Tenez-vous droit, repoussez vos épaules vers l'arrière et... (*Partenaire: lire toutes les choses que fait la personne avec sa physionomie lorsqu'elle se sent toute-puissante d'après son tableau.*)

- Maintenant, en gardant en tête l'image de ce que vous êtes incapable de faire, j'aimerais que vous vous disiez ce que vous vous dites lorsque vous avez hâte d'entreprendre quelque chose. Par exemple, «Je dois le faire», «Je vais le faire». (*Partenaire: lire toutes les phrases de la personne de son tableau.*)

- Maintenant, en gardant clairement en tête l'image de ce que vous étiez auparavant incapable de faire, concentrez-vous sur les facteurs sur lesquels vous vous concentreriez si vous étiez déterminé à entreprendre cette chose. (*Partenaire: lire les stratégies de la personne.*)

- Maintenant, en gardant cette image en tête, posez-vous les questions que vous vous poseriez si vous étiez déterminé à entreprendre cette chose immédiatement. Par exemple... (*Partenaire: lire les questions encourageantes.*)

- Maintenant, en gardant cette image en tête, pensez à ce que vous croiriez si vous étiez déterminé à entreprendre cette chose immédiatement. Par exemple... (*Partenaire: lire les croyances encourageantes.*)

- Finalement, j'aimerais que vous fassiez un dessin de cette situation que vous n'étiez pas déterminé à faire. Faites-le en couleur. Faites-le lumineux. Faites-le de façon précise. (*Partenaire: lire les images internes qui donnent du pouvoir.*)

- Maintenant lorsque cette image est exactement telle que vous la désirez, je vous demanderais de vous placer dans cette image et en vous plaçant, de savoir que vous avez atteint votre objectif.

- Appréciez ce sentiment d'excitation et d'accomplissement pendant un dernier moment et ouvrez vos yeux, vous sentant merveilleusement bien.

Comment vous sentez-vous maintenant par rapport à cette chose que vous savez que vous devez faire ? Davantage enclin à l'entreprendre ? Vous pouvez répéter cet exercice lorsque vous avez besoin de motivation pour faire quelque chose. Lorsque vous aurez compris comment fonctionne votre propre stratégie personnelle de réussite, vous serez en mesure de changer la façon dont vous vous sentez en quelques minutes et d'être à votre meilleur lorsque vous devez l'être.

Cette technique est au cœur du développement personnel. En découvrant ce que vous faites et comment vous êtes lorsque vous êtes à votre meilleur, vous constaterez que vous êtes capable d'atteindre des résultats remarquables beaucoup plus efficacement. En étant davantage conscient de la façon dont vous pouvez communiquer avec vous-même grâce à votre physionomie, au langage que vous employez et aux images que vous créez dans votre tête, vous découvrirez que vous êtes capable de vivre des émotions positives, telles que la confiance et la certitude, dans de nouvelles situations.

Si vous abordez une nouvelle situation avec une confiance accrue, vous aurez de meilleurs résultats, et ces derniers auront ensuite un impact sur vos croyances. Avec votre croyance en vous-même nouvellement renforcée, vous adopterez une physionomie d'autant meilleure, utiliserez un langage d'autant plus positif, poserez des questions d'autant meilleures et vous créerez des images d'autant plus encourageantes, également. Investi d'une plus grande confiance, vous serez en mesure d'atteindre des résultats d'autant plus remarquables, ce qui renforcera vos croyances.

Et c'est ainsi que se crée un cercle vicieux, mais vertueux à la fois. En effet, chaque nouvelle réussite améliorera votre confiance, et cette confiance accrue vous permettra de réussir de manière d'autant plus extraordinaire.

CHAPITRE 13

Les revers qui sont hors de votre contrôle

Même si vous planifiez méticuleusement vos objectifs, vous subirez, tôt ou tard, un revers qui sera entièrement hors de votre contrôle. Je vais vous donner un exemple de ce que je veux dire en vous racontant ce qui m'est arrivé lorsque j'ai essayé de mettre sur pied la Fondation Adam Walker. Les premiers revers à survenir furent :

- La commission des œuvres de charité a refusé de me laisser inscrire ma fondation, sous prétexte que le développement personnel n'est pas une œuvre charitable au sens propre de la loi.
- À cause de la décision de la commission des œuvres charitables, j'ai perdu la commandite que j'avais négociée avec une importante compagnie d'assurances de Grande-Bretagne.
- La firme de relations publiques que j'avais embauchée pour faire la promotion de mon premier séminaire, et qui m'avait promis une couverture nationale, n'a pas donné les résultats anticipés.

C'est ainsi qu'à cause de ces revers inattendus, j'ai perdu plus de 100 000 $ pour faire la promotion de mon premier séminaire public. Mais cela ne m'a pas affecté. Je travaillais sur un projet auquel je croyais et je savais que si je persévérais je réussirais à récupérer les pertes financières en temps opportun. Et finalement, ce fut le coup de grâce.

Au moment où je m'apprêtais à proposer le séminaire aux écoles secondaires du pays, le gouvernement changea le processus d'examen et introduisit les infâmes niveaux AS. Soudainement, les étudiants de 12e année devaient passer un si grand nombre d'examens qu'il ne restait plus de temps dans le curriculum pour autre chose. J'ai proposé mon séminaire à plus de 2500 écoles et je n'ai pas reçu une seule réponse favorable. Deux ans de planification et 100 000 $ plus tard, le projet tombait en ruine.

J'ai maudit le nouveau système d'examens et le ministère de l'Éducation qui l'avait introduit. Les professeurs et les étudiants n'appréciaient pas non plus le nouveau système AS, et j'étais tenté de rejoindre les rangs de la campagne en faveur du retour à l'ancien système. J'ai finalement réalisé que je ne pouvais absolument rien faire pour influencer les politiques gouvernementales et que je ferais mieux de dépenser mon temps et mon énergie pour les choses que je *pouvais* contrôler. Alors j'ai finalement fait ce que je fais toujours lorsque je dois faire face à un défi majeur: je me suis assis et me suis mis à lire mes livres de développement personnel préférés. Le livre auquel je me suis d'abord intéressé était *Man's Search for Meaning* de Viktor Frankl.

Viktor Frankl avait survécu à l'Holocauste et avait écrit son livre à sa libération du camp d'Auschwitz. Durant les trois années qu'il y avait vécu, voire survécu, il avait été témoin d'actes de cruauté et d'humiliation inimaginables. Mais Dr Frankl n'était pas un prisonnier ordinaire. Avant son emprisonnement, il était psychiatre et malgré ses douleurs et sa propre souffrance, il devint fasciné par la façon dont ses collègues prisonniers faisaient face à leur situation. Il se demandait pourquoi certains prisonniers sombraient immédiatement dans un trou noir de désespoir pendant que d'autres gardaient espoir malgré tout. Pourquoi certains prisonniers se battaient-ils entre eux comme des animaux pendant que d'autres étaient prêts à partager leur dernière croûte de pain avec quelqu'un qui en avait encore plus besoin qu'eux ? Il en avait conclu que même si un homme a tout perdu, il lui reste encore une dernière liberté : la liberté de choisir sa propre réaction face à la situation. Et moi aussi, face à ce revers, je pouvais choisir de réagir en abandonnant ce projet auquel je tenais énormément ou je pouvais trouver un autre moyen. Je savais ce que je devais faire.

Je me suis donc attablé avec une feuille de papier vierge et je me suis demandé : « Quel est le but ultime de la Fondation Adam Walker ? » La réponse était : « Je veux que les jeunes gens aient accès aux avantages des techniques de développement personnel *avant* de gaspiller des années à grimper l'échelle de la réussite et de réaliser qu'elle était appuyée sur le mauvais mur. Je veux aussi que la détermination des objectifs, le développement personnel et l'équilibre travail/famille deviennent des sujets obligatoires du programme national d'éducation. »

Puis je me suis demandé : « Quels domaines puis-je changer ? » La réponse était : « Le format et le style de mon séminaire. »

Et finalement, je me suis demandé : « De quelle autre façon puis-je atteindre mon but ultime ? » La réponse était : « Je pourrais rendre mon séminaire accessible en le mettant sur bande vidéo. » Au lieu de le présenter en une session d'une journée, je pouvais le transformer en huit sessions de 45 minutes que les professeurs pourraient utiliser dans leur enseignement hebdomadaire de la santé et du développement personnel et social, un cours qui est devenu obligatoire dans le curriculum scolaire, en septembre 2002.

Et c'est précisément ce que j'ai fait. Au moment de mettre ce livre sous presse, nous entamions la production de cette vidéo intitulée *Success for Yourself* (Réussissez pour vous-même). Et j'avais l'intention d'en faire parvenir une copie à chacune des écoles secondaires de la Grande-Bretagne.

Voici donc votre procédé. Si vous devez faire face à un revers qui est hors de votre contrôle :

- Choisissez votre réaction.
- Consacrez votre temps et votre énergie sur les choses que vous *pouvez* contrôler.
- Concentrez-vous sur le résultat final.
- Faites preuve de flexibilité quant aux stratégies que vous utilisez pour obtenir ce résultat final.

CHAPITRE 14

Apprendre de l'échec

La plupart des livres sur la détermination des objectifs ne contiennent pas de section sur l'échec. Les auteurs soutiendraient que toute mention du mot « échec » est défaitiste et que vous feriez mieux de répéter le mantra « Il y a toujours un moyen ». Cependant, dans le monde réel, il vous arrivera sûrement un jour de ne pas être capable d'atteindre un objectif, et j'estime que ce livre ne serait pas complet si je n'y ajoutais pas une section sur ce que vous devez faire en cas d'échec.

Il y a essentiellement deux raisons pour lesquelles vous ne pourriez atteindre un objectif:

- Vous n'attachez plus d'importance à l'objectif.
- Vous êtes incapable de surmonter un obstacle qui vous empêche de goûter à la réussite.

Regardons chacune d'entre elles.

CHANGER D'AVIS

Occasionnellement, vous aurez établi un objectif et plus tard, à la lumière de votre expérience, vous déciderez qu'il n'est plus important que vous atteigniez votre but. Lorsque cela se produit, vous devez vous assurer que ce changement est sincère et qu'il ne s'agit pas d'une excuse pour abandonner un objectif qui est devenu trop difficile à réaliser. Vos objectifs ne doivent pas être immuables. Cependant, il est tellement facile d'excuser tous les échecs en se disant : « De toute façon, je n'avais plus envie de faire ça. »

La meilleure façon de vous assurer que vos raisons sont sincères est de les écrire. (Il est plus difficile de se mentir sur papier.)

Si, après avoir fait ce petit exercice, vous réalisez que votre décision n'est pas sincère, retournez lire les chapitres 7 à 13 pour vous aider à surmonter les obstacles auxquels vous faites face. Si votre décision est sincère, alors inscrivez-en les raisons dans votre cahier de notes, rayez l'objectif et inscrivez-en un autre à la place.

VIVRE UN ÉCHEC

Mais que faire s'il vous est impossible d'atteindre un objectif qui est important pour vous ? Croyez-moi, je ne suis pas défaitiste, mais parfois on en arrive à un point ou le mantra « Il y a toujours un moyen » n'est plus approprié. Si cela vous arrive, vous devez faire trois choses :

1. Posez-vous les bonnes questions.
2. Attribuez les bonnes raisons à votre revers.
3. Tirez-en des leçons utiles pour l'avenir.

Laissez-moi vous montrer ce que je veux dire. Supposons, par exemple, que votre objectif consiste à escalader le Matterhorn. Vous avez passé des mois à vous préparer et vous escaladez cette montagne depuis maintenant quatre jours. Mais lorsque vous êtes rendu à moins de 500 mètres du sommet, un désastre se produit. Une terrible tempête vous tombe dessus, et vous réalisez alors qu'il serait suicidaire de poursuivre. Vous êtes donc forcé d'abandonner l'escalade, non sans réticence. Regardons maintenant comment vous pouvez faire face à cet échec.

Tout d'abord, il est important de vous poser les bonnes questions. Vous pouvez vous poser les questions suivantes :

- Pourquoi est-ce que j'abandonne toujours tout ce que j'entreprends ? (Parce que je suis un triste perdant.)
- Pourquoi le temps s'est-il gâté ? (Parce que Dieu ne croit pas que je mérite de réussir.)
- Pourquoi n'ai-je pas dépensé cet argent pour prendre des vacances à Hawaii avec ma famille, au lieu de poursuivre ce rêve ridicule ? (Parce que je suis stupide et égoïste.)

Voyez-vous ce que je veux dire ? Si vous posez des questions stupides, votre petite voix intérieure vous donnera des réponses stupides.

Quelles questions positives pouvez-vous vous poser après une telle expérience ? Vous pourriez vous demander :

- Qu'ai-je appris de cette expérience ?
- Comment puis-je utiliser ce que j'ai appris pour mieux réussir dans d'autres domaines de ma vie ?
- Quelle partie de l'expérience ai-je préféré ?

Les meilleures questions donnent les meilleures réponses, et vous vous sentez bien mieux par rapport à n'importe quelle expérience.

Vous devez ensuite trouver ce que signifie vraiment votre revers. Vous ne pouvez pas changer le fait que vous n'avez pas réussi à monter le Matterhorn. Mais vous pouvez cependant décider ce que ce revers représente pour vous. Si vous décidez que cela signifie que vous êtes un cas désespéré qui abandonne constamment tout ce qu'il entreprend, cette tentative ratée aura un impact négatif sur votre avenir. Si vous décidez que la décision que vous avez prise d'abandonner la montée témoigne de votre bon jugement et de votre amour pour votre famille, vous vous sentirez bien mieux envers cette expérience.

Je constate que souvent les gens trouvent inconsciemment des significations négatives à leurs expériences. La meilleure façon d'empêcher cela est d'écrire la signification que vous envisagez pour chacune des situations.

Finalement, vous devez vous poser cette question: « Que puis-je apprendre de ce revers ? » Il est parfois moins important d'atteindre un objectif que d'apprendre quelque chose et de devenir, par le fait même, une meilleure personne.

Il m'est impossible de terminer ce chapitre sans mentionner de nouveau Art Berg, dont je vous ai parlé au chapitre 7. Lorsqu'il avait 21 ans, Art Berg rêvait d'établir une entreprise prospère de construction de terrains de tennis. Son accident l'en a empêché bien évidemment, mais parce qu'il s'est posé les bonnes questions et a envisagé les bonnes réponses, il a réussi à transformer sa vie en un véritable triomphe.

QUATRIÈME PARTIE

SE RÉALISER VÉRITABLEMENT

CHAPITRE 15

Maintenir l'équilibre entre la carrière et la vie personnelle

Il nous arrive tous de vivre des périodes au cours desquelles nous devons allouer une période de temps disproportionnée à un certain domaine de votre vie. Par exemple, si vous avez récemment mis sur pied votre propre entreprise, il serait parfaitement approprié d'y consacrer presque tout votre temps afin de la développer. Si vous venez d'avoir votre premier enfant, il serait essentiel que son bien-être devienne votre priorité durant la première année critique de sa vie. Cependant, si vous vous concentrez uniquement sur un seul domaine de votre vie, vous deviendrez inévitablement très malheureux.

Chaque fois que je parle de l'équilibre carrière/vie familiale, je pense à un de mes clients, appelons-le Henri, qui a malheureusement payé très cher le déséquilibre qui s'est installé dans sa vie. Henri était le directeur général d'une entreprise pour laquelle j'ai préparé un plan d'affaires cinq ans plus tôt. Il s'agissait d'un plan d'affaires très ambitieux – son objectif était de tripler la grandeur de son entreprise en cinq ans – et Henri et son équipe savaient pertinemment qu'ils allaient devoir travailler très fort pour y arriver. Leur plan d'affaires connut une réussite remarquable, à un point tel qu'ils réussirent à atteindre leur objectif en deux ans au lieu de cinq.

Henri et son équipe organisèrent une grande fête pour célébrer leur réalisation. Mais le bonheur d'Henri fut de courte durée. Quelques jours après la fête, sa femme lui annonça qu'elle entretenait une liaison avec un autre homme. Henri était démoli. Il estimait avoir travaillé 18 heures par jour, sept jours par semaine, pendant deux ans afin d'offrir une stabilité financière à sa famille. Mais sa femme ne voyait pas les choses de la même façon. Selon elle, Henri avait tout simplement perdu tout intérêt pour sa famille. Elle avait donc commencé à fréquenter un autre homme qui, lui, avait du temps à lui consacrer.

Cette histoire ne se termine pas bien. Henri n'arrivait pas à pardonner sa femme pour son infidélité, et elle ne lui pardonnait pas son « manque d'intérêt ». Ils acceptèrent finalement que leur mariage était irrémédiablement brisé, et Henri a quitté le domicile familial. Quelle tragédie ! Un mariage détruit, quatre jeunes enfants privés de leur père, ainsi que des finances à sec pour la famille.

Malheureusement l'histoire ne se termine pas ici. Ironie du sort, Henri était tellement dévasté par l'échec de son mariage qu'il était incapable de se concentrer sur son travail. Dix-huit mois plus tard, les difficultés financières de son commerce étaient tellement grandes qu'il dut vendre à un compétiteur. Aujourd'hui, Henri vit seul dans un petit appartement et il arrive à peine à payer les coûts d'entretien de deux domiciles avec un salaire qui n'est qu'une fraction de ce qu'il était auparavant.

Que retenir de cette histoire ? Henri avait parfaitement raison de donner la priorité à l'expansion de son commerce pendant un certain temps. Mais lorsque son travail commença à prendre tout son temps et que les mois devinrent des années, il aurait dû réaliser que sa vie était déséquilibrée. Mais il ne vit rien arriver, car la situation s'envenima lentement chaque jour. Avec le recul, Henri réalise maintenant qu'aucune réussite professionnelle ne peut compenser la perte de sa famille.

Connaissez-vous plusieurs personnes qui ont fait la même erreur qu'Henri ? Combien de personnes connaissez-vous qui ont réussi dans un domaine de leur vie en sacrifiant une autre chose beaucoup plus importante ? Comment éviter de faire de telles erreurs ?

VOTRE VIE EST-ELLE ÉQUILIBRÉE ?

Voici un exercice qui vous permettra de vérifier si votre vie est bien équilibrée en ce moment. En utilisant les dix catégories que je vous ai présentées au chapitre 3, j'aimerais que vous évaluiez votre satisfaction dans chaque domaine important de votre vie, en utilisant un système de points sur 10.

- Commencez par la catégorie financière. Sur une échelle de 1 à 10, comment vous sentez-vous par rapport à votre réussite financière ? Si vous vivez une vie aisée, en fonction de vos moyens, et estimez que vous avez déjà atteint votre plein potentiel financier, donnez-vous un 10. Si vous êtes endetté par-dessus la tête et estimez que vous valez beaucoup plus que ce que vous gagnez, donnez-vous un 1. Si vous estimez que votre situation financière se situe entre les deux, alors donnez-vous un 5. Ne vous en faites pas trop sur ce que vous devez inscrire. Il est préférable de faire cet exercice rapidement.
- Évaluez maintenant à quel point vous êtes satisfait de votre carrière. Si vous exercez un métier que vous adorez et avez déjà atteint votre plein potentiel de carrière,

donnez-vous un 10. Si vous occupez un emploi que vous détestez et que vous venez de rater une promotion pour la dixième fois, donnez-vous un 1. Si votre situation actuelle se situe entre ces deux extrêmes, donnez-vous le pointage approprié.

- Regardez maintenant à quel point vous êtes stimulé intellectuellement. Si vous estimez que votre emploi actuel ou vos passe-temps stimulent intensément votre intellect sur une base quotidienne, donnez-vous un 10. S'il vous est impossible de vous souvenir de la dernière fois où vous avez demandé à votre cerveau de solutionner un nouveau problème, donnez-vous un 1. Sinon, donnez-vous les points appropriés entre les deux.

- Évaluez maintenant votre santé physique. Si vous aimez votre apparence, que avez une alimentation saine, que vous faites de l'exercice chaque jour et que vous débordez continuellement de santé et de vitalité, donnez-vous un 10 (souvenez-vous qu'il est important d'être honnête en faisant cet exercice). Si vous pesez deux fois plus que votre poids idéal, ne mangez rien d'autre que de la camelote et ne faites plus aucun exercice, donnez-vous un 1. Sinon, donnez-vous les points appropriés entre les deux.

- Demandez-vous maintenant à quel point vous vous sentez satisfait émotionnellement. Si votre vie actuelle vous remplit constamment d'un profond sentiment de joie et de satisfaction, donnez-vous un 10. Si votre vie est contrôlée par des problèmes non résolus de votre enfance, si vous êtes envahi de culpabilité, de colère et de ressentiment, si vous souffrez de dépression ou d'un trouble de l'alimentation, donnez-vous un 1. Si la vérité se situe entre les deux, donnez-vous le pointage qui vous semble le plus approprié.

- Réfléchissez maintenant à vos relations intimes. Comment vous entendez-vous avec votre conjoint, vos enfants et vos parents ? Si ces relations importantes sont empreintes d'amour, de confiance et de respect mutuel, donnez-vous un 10. Si vous êtes au bord du divorce et ne parlez plus à vos enfants ou à vos parents, donnez-vous un 1. Autrement, donnez-vous le pointage qui vous semble approprié.

- Pensez maintenant à votre domicile. Si vous aimez l'endroit où vous vous vivez, donnez-vous un 10. Si vous vivez dans un taudis avec six colocataires, donnez-vous un 1. Autrement, donnez-vous le pointage approprié entre les deux.

- Envisagez ensuite votre vie sociale. Si vous avez beaucoup de bons copains et que vous passez souvent de très agréables moments avec eux, donnez-vous un 10. Si vous n'avez qu'un ou deux bons amis, mais que vous appréciez les moments que vous passez avec eux, donnez-vous aussi un 10. Si vous passez la moitié de votre temps à recevoir des gens qui ne vous plaisent pas du tout, ou si vous vous sentez seul, donnez-vous un 1. Autrement, donnez-vous le pointage approprié entre les deux.

- Pensez maintenant aux moments où vous avez du plaisir. Si vos périodes de loisir sont remplies de passe-temps excitants et de vacances exotiques, donnez-vous un 10. Si vous êtes devenu un tel bourreau de travail que vous vous sentez coupable lorsque vous vous assoyez pour déjeuner, donnez-vous un 1. Sinon, donnez-vous le pointage approprié entre les deux.

- Finalement, réfléchissez à ce que vous faites pour les autres. Si vous passez au moins 10 % de votre temps à faire de la collecte de fonds, à faire des travaux communautaires ou à favoriser vos croyances spirituelles, donnez-vous un 10. Si vous êtes incapable de vous rappeler la dernière fois où vous avez fait quelque chose pour quelqu'un d'autre sans être payé, donnez-vous un 1. Si la vérité se situe entre les deux, donnez-vous le pointage qui vous semble approprié.

- Lorsque vous assignez un pointage à chacune des catégories, coloriez les espaces appropriés du tableau de la page 163. Vous aurez ainsi une image visuelle de la façon dont votre vie est équilibrée en ce moment. Le décagone « idéal » aurait un pointage de 9 dans toutes les catégories (il est préférable de ne pas envisager qu'un certain domaine de votre vie puisse être parfait.) De quoi a l'air votre décagone ? Sur quels domaines de votre vie devez-vous vous concentrer ?

Vous pouvez répéter cet exercice à volonté. Plusieurs personnes le font une fois par année ou lorsqu'elles estiment que leur vie est légèrement déséquilibrée. Les gens heureux vivent une vie heureuse et équilibrée, et le décagone est l'outil parfait pour vérifier si votre vie demeure équilibrée.

Maintenir l'équilibre

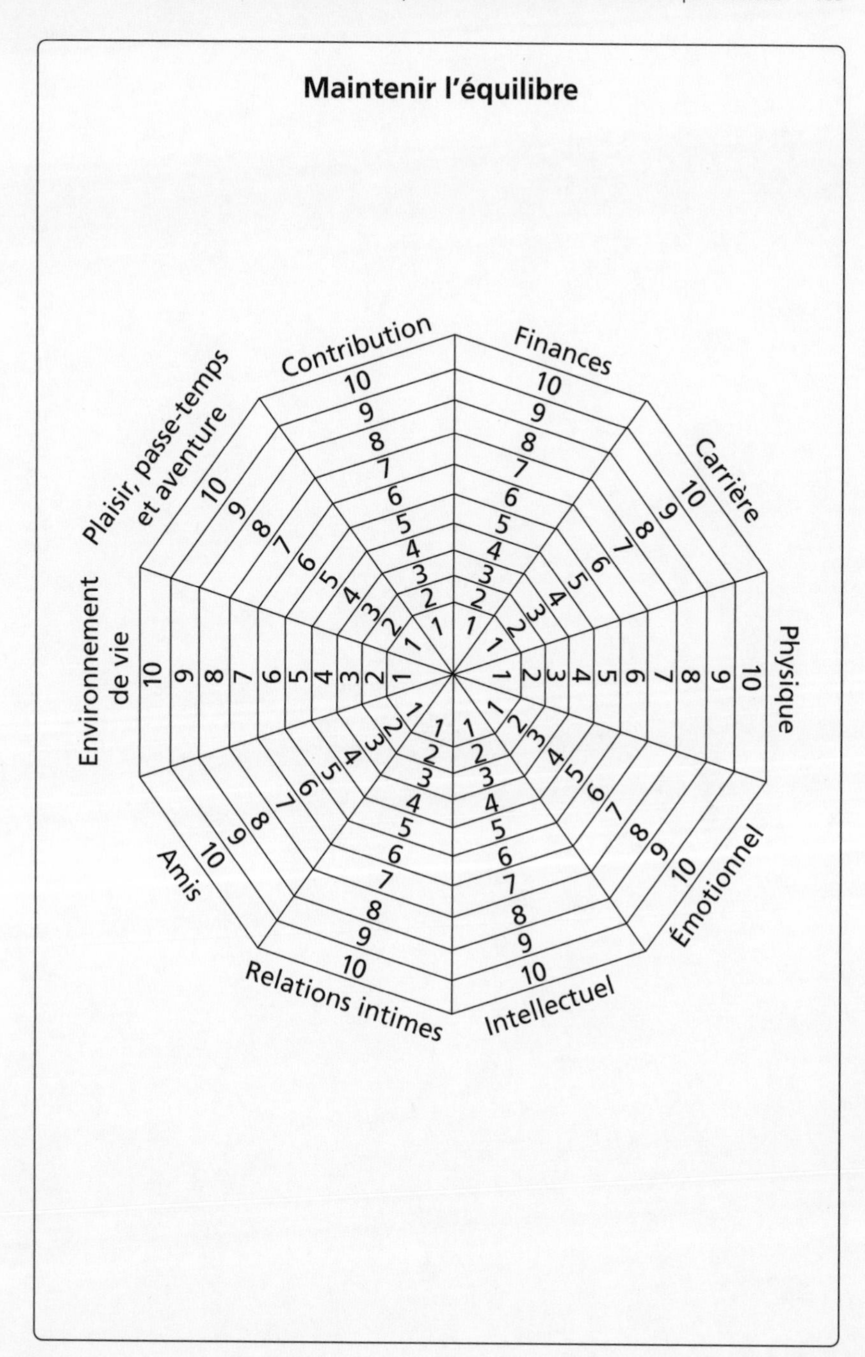

CHAPITRE 16

Vivre avec vos valeurs

Assumons que votre objectif est de devenir millionnaire. Une façon rapide d'atteindre cet objectif serait de devenir revendeur de cocaïne.

J'imagine que cette suggestion vous rend inconfortable, mais pourquoi ? Parce que, comme pour la majorité des gens, cela serait contraire à vos valeurs. Si, afin d'atteindre votre objectif, vous devez enfreindre vos valeurs, vous constaterez que vous ne ressentirez pas le sentiment de satisfaction qui découle de la réussite obtenue par un moyen qui vous est acceptable.

L'exemple de la cocaïne est extrême, mais vous trouverez dans la vraie vie des centaines de milliers d'exemples de gens qui ont enfreint leurs valeurs pour atteindre la réussite aux yeux du monde et qui ne retirent aucune satisfaction de leurs réalisations.

VALEURS

Vos valeurs proviennent des profondeurs de votre être. Elles reflètent ce qui est important pour vous en tant qu'être humain. Elles peuvent inclure :

- Aventure
- Contribution

- Créativité
- Devoir
- Amitié
- Plaisir
- Santé
- Indépendance
- Intégrité
- Apprendre et grandir
- Amour
- Passion
- Pouvoir
- Sécurité
- Spiritualité
- Réussite
- Variété

Nous plaçons nos valeurs selon une certaine hiérarchie et nous prenons constamment nos décisions en fonction de cette hiérarchie sans même le réaliser.

Laissez-moi vous donner un exemple. Imaginez une planche de bois placée au-dessus d'un ravin au cœur d'une montagne. Cette planche mesure 15 centimètres de largeur sur 6 mètres de longueur, et la vallée est située à plus de 300 mètres au-dessous. Il n'y a aucune rampe d'appui et aucun dispositif de sécurité – si vous manquez le pas, vous mourrez.

- Accepteriez-vous de traverser la planche pour 10 $?
- Accepteriez-vous de traverser la planche pour 1000 $?

- Accepteriez-vous de traverser la planche pour 10 000 $?
- Accepteriez-vous de traverser la planche pour 1 000 000 $?
- Accepteriez-vous de traverser la planche pour 10 000 000 $?
- Accepteriez-vous de traverser la planche pour 100 000 000 $?
- Accepteriez-vous de traverser la planche pour obtenir votre prochaine promotion au travail ?
- Accepteriez-vous de traverser la planche pour obtenir le médicament dont vous avez besoin pour ne pas devenir aveugle ?
- Accepteriez-vous de traverser la planche pour obtenir le médicament dont votre conjoint a besoin pour ne pas devenir aveugle ?
- Accepteriez-vous de traverser la planche pour sauver la vie de votre conjoint ?
- Accepteriez-vous de traverser la planche pour sauver la vie de votre enfant ?

Votre sens des valeurs détermine vos réponses à ces questions. La plupart du temps, nous prenons ces décisions de façon inconsciente. J'estime que vous augmenterez grandement vos chances de vivre une vie heureuse, réussie et enrichissante si vous prenez ces décisions **consciemment**.

VOS PROPRES VALEURS

- Avant de poursuivre votre lecture, prenez le temps de faire une liste des dix valeurs qui sont les plus importantes à vos yeux, et inscrivez-les par ordre d'importance.

Choisissez parmi celles qui sont énumérées en page 165 ou ajoutez les vôtres. Ces valeurs de base représentent l'essence même de votre moi intérieur. Elles forment votre identité.

- Prenez maintenant le temps d'évaluer si votre vie actuelle répond à ces besoins de base. Si l'amitié est votre valeur la plus importante, une carrière comme gardien de phare dans les îles Mouk-Mouk vous rendra-t-elle heureuse ? Si « apprendre » et « grandir » constituent vos valeurs les plus importantes, serez-vous vraiment heureux de travailler comme caissier à votre supermarché local ?

Quelle que soit votre réussite aux yeux des autres, vous ne trouverez jamais la vraie réussite si vous ne vivez pas selon vos valeurs de base.

CHAPITRE 17

Se défaire des choses qui vous rendent malheureux

Même si votre vie est empreinte de réussite et de satisfaction, vous ferez inévitablement face à des moments de frustration et de colère. Vous pouvez cependant faire certaines choses pour réduire au minimum ces moments.

LES PROBLÈMES DU PRÉSENT

- Commencez par faire une liste des dix choses que vous devez « endurer » en ce moment. Il peut s'agir de choses banales, telles qu'une laveuse qui ne fonctionne pas correctement ou un grille-pain qui brûle le pain tous les matins. Ou de choses plus importantes, telles qu'un client pour qui vous détestez travailler ou un ami qui accapare tout votre temps.

- Regardez maintenant froidement chacun de ces problèmes et demandez-vous si, honnêtement, vous devez tous les endurer. Un grille-pain qui brûle les *toasts* ne constitue pas, en soi, un gros problème, mais l'irritation qu'il cause augmente de façon exponentielle avec chaque tranche brûlée. Vous valez mieux que cela. Vous méritez une bonne tranche de pain grillé le matin. Prenez maintenant la décision de résoudre la situation. Vous verrez comment on se sent bien après avoir réglé de tels petits problèmes.

Avoir affaire aux autres

Mais que faire si le problème implique quelqu'un d'autre ? Un ami négatif, qui draine toute notre énergie, ou un membre de la famille qui nous démoralise avec ses critiques constantes.

Vous pouvez corriger le problème en établissant des limites que vous ne laisserez personne franchir de nouveau. Vous pourriez décider, par exemple, que vous ne travaillez plus le dimanche, ou que vous ne laisserez plus votre mère vous critiquer devant les autres, ou que vous ne tolérerez plus que votre beau-frère jure devant vos enfants. Il est important d'établir des limites, car elles permettent aux autres de savoir ce que vous trouvez acceptable ou non. Souvent, les autres sont complètement inconscients de la détresse que leur comportement peut vous causer. Maintenant, prenez quelques instants pour faire une liste des nouvelles limites que vous souhaitez fixer et choisissez une date à laquelle vous les communiquerez aux gens impliqués.

Une autre bonne façon d'améliorer vos relations est d'apprendre à dire non. Si quelqu'un vous demande de faire quelque chose que vous ne voulez pas faire, ne le faites pas à contrecœur : dites « non », et si vous en êtes incapable sur le coup, inventez une excuse et dites que vous répondrez plus tard.

Il peut aussi vous être utile de lire un livre sur l'affirmation de soi. Il ne faut pas confondre affirmation de soi et agressivité. Une personne agressive veut avoir ce qu'elle désire en menaçant et en intimidant ; elle n'hésiterait pas à outrepasser les droits des autres pour obtenir ce qu'elle veut. Une personne qui s'affirme ne fait qu'avertir les autres des conséquences de leurs actions en se concentrant sur la façon dont elle se sent par rapport à leur comportement. Par exemple, vous pourriez dire : « Lorsque tu me critiques devant ma famille, je me sens de nouveau comme un enfant. Je me sens rabaissé et humilié. J'aimerais que tu me promettes de ne plus jamais faire cela. »

Mais, malgré la meilleure volonté du monde, vous devrez, à l'occasion, accepter que certaines relations soient irrécupérables. Certaines des relations que vous entretenez actuellement font-elles partie de cette catégorie ? Si oui, vous devez prendre une décision. Vous pouvez continuer de laisser cette personne prendre votre temps et drainer l'énergie dont vous avez besoin pour devenir la personne que vous souhaitez être, ou vous pouvez prendre la douloureuse décision de mettre un terme à une relation qui ne vous est plus utile. Il ne s'agit pas d'une décision facile à prendre, mais si vous êtes encore avec moi en ce moment, j'ai confiance que vous prendrez la bonne décision pour vous.

La vie est trop courte pour que vous ayez à supporter des choses qui vous rendent malheureux.

LES PROBLÈMES DU PASSÉ

Un nombre surprenant de gens qui ont réussi sont incapables de retirer une quelconque satisfaction ou un certain contentement de leur réussite, car ils sont tourmentés avec des problèmes non résolus du passé. Voici quelques exemples courants :

- De la colère envers un ancien conjoint.
- Des regrets concernant un mauvais investissement.
- La culpabilité de ne pas avoir pu prévenir une tragédie.
- Le regret de ne pas avoir dit quelque chose à un parent avant sa mort.

L'événement en question peut s'être passé il y a dix, vingt ou trente ans, même plus, mais cela ne nous empêche pas d'y songer fréquemment :

- Si seulement j'avais épousé quelqu'un d'autre.
- Si seulement je n'avais pas acheté ces actions.
- Si seulement j'avais pris un autre chemin pour rentrer à la maison ce jour-là.
- Si seulement j'avais pu le voir une dernière fois avant qu'il ne meure.

Vous ne pouvez pas laisser les événements du passé empoisonner votre vie actuelle. Alors, comment faire pour cesser ?

LA CULPABILITÉ ET LE PARDON

Si vous vous sentez coupable de quelque chose, essayez d'imaginer que vous êtes accusé de cette offense devant un tribunal et rédigez votre cas pour la défense. Le fait d'établir le cas sur papier peut être un moyen très efficace de vous empêcher de continuer à y songer constamment. Lorsque vous vous êtes finalement persuadé de votre innocence, écrivez-vous une lettre de pardon.

Vous pouvez même régler la culpabilité justifiable de cette façon. Si vous avez fait une erreur, écrivez la punition que vous jugez raisonnable et comparez-la à la peine que vous avez déjà purgée. Ne pensez-vous pas que vous avez purgé votre peine il y a longtemps ?

Si vous devez pardonner quelqu'un pour quelque chose, essayez d'écrire la défense de cette personne de son point de vue. Une autre technique qui fonctionne bien consiste à écrire une liste de raisons pour lesquelles vous pourriez lui pardonner et une liste des raisons de ne pas le faire. Vous réaliserez probablement à quel point il est futile de continuer à entretenir votre rancœur. Pour certaines personnes, il est plus facile d'écrire une lettre de pardon à l'autre personne. Si cette personne est décédée, écrivez quand même la lettre et brûlez-la pour ensuite répandre les cendres sur sa tombe ou mettez-la dans un cadre derrière sa photo.

Si ces techniques ne fonctionnent pas pour vous, vous voudrez peut-être envisager de consulter un professionnel pour vous aider à résoudre les problèmes qui vous tourmentent. Car, quelle que soit votre réussite future, vous ne serez jamais totalement satisfait si vous n'êtes pas en paix avec votre passé.

CHAPITRE 18

Vivre selon vos règles

J'aimerais commencer ce chapitre en vous demandant de prendre quelques minutes pour répondre à trois autres questions :

- Que devrait-il se passer afin que vous puissiez sentir que vous avez vraiment réussi ?
- Que devrait-il se passer afin que vous puissiez vous sentir vraiment heureux ?
- Que devrait-il se passer pour que vous ayez la certitude que quelqu'un vous a aimé ?

Maintenant, laissez-moi vous dire quelque chose de très, très important. Ce que vous venez tout juste d'écrire est de la foutaise. La vérité est que vous n'avez pas besoin de quoi que ce soit pour sentir que vous avez réussi. Vous pouvez vous sentir accompli quand vous le voulez. Alors pourquoi ne vous sentez-vous pas ainsi ?

Un nombre incalculable de gens font la même erreur. Ils se disent : « Afin de me sentir comme une personne accomplie, il faut que je gagne 200 000 $ par année », ou « Il faut que j'aie deux millions de dollars en banque », ou « Je dois avoir les moyens d'acheter un certain type de voiture ». Et ainsi, tous ces gens qui ont l'air d'avoir réussi aux yeux des autres passent souvent toute leur vie à croire qu'ils ont échoué. Mais d'après qui ? Qui dicte ces règles stupides ? C'est nul autre que vous !

Quelle folie ! Vous ne pouvez tout simplement pas passer toute votre vie à vous dire : « Quand j'aurai un certain montant d'argent en banque, alors je serai heureux. » Vous pouvez décider d'être heureux *dès maintenant.* Il vous suffit simplement de changer vos règles.

CHANGER LES RÈGLES

Que devez-vous faire pour y arriver ?

- Je vous demanderais tout d'abord de retourner à la hiérarchie des valeurs que vous avez préparée au chapitre 16.
- Prenez maintenant chacune de vos valeurs et écrivez ce qui devrait se produire pour que vous vous sentiez accompli dans ce domaine. Par exemple, si votre première valeur est la santé et la vitalité, que devrait-il se produire afin que vous vous sentiez vraiment en santé – peser 50 kilos, courir huit kilomètres chaque jour, avoir un tour de taille de 65 centimètres ?
- Regardez maintenant froidement chacune de ces règles et dites-vous : « D'après qui ? » D'où viennent ces règles ? De vos parents, de vos amis, de votre patron, des médias ? Ont-elles été choisies au hasard ?
- Certaines de ces règles peuvent être de bons objectifs pour un avenir plus lointain. Mais vous n'avez pas à vous sentir misérable jusqu'à ce que vous les ayez atteints. Vous pouvez vous sentir accompli maintenant. Il vous suffit simplement d'inventer des règles plus faciles, par exemple :

Je me sens en santé chaque fois que je :

– cours

– nage

– mange des aliments sains

– monte un escalier sans être essoufflé

– me sens en vie à 100 %

- Continuez de cette façon avec toutes vos autres valeurs, et vous obtiendrez plusieurs façons différentes de vous sentir accompli lorsque vous le désirez au lieu d'avoir un ensemble de règles qui vous empêchent de vous sentir accompli pendant des mois, parfois même des années.

Facilitez-vous la tâche et tenter de vous sentir accompli autant que possible. La réussite est un voyage et non pas une destination. Si vous choisissez les bonnes règles, vous pourrez jouir pleinement de chaque étape.

CHAPITRE 19

Apprécier le moment présent

Sur un des murs de ma maison, j'ai une jolie photo de mes filles jumelles à l'âge de 22 mois, jouant ensemble avec un arrosoir pendant une chaude journée d'été. Elles étaient totalement fascinées par le jet d'eau: la façon dont les gouttes se reflétaient au soleil lorsqu'elles tombaient, la sensation qu'elles éprouvaient lorsque l'eau coulait sur leurs mains, la façon dont la pression de l'eau changeait lorsqu'elles mettaient leurs doigts sur les jets. Ce jour-là, elles ont dû jouer avec l'arrosoir pendant au moins deux à trois heures, et pendant tout ce temps, elles étaient totalement absorbées dans l'instant. Ainsi sont les jeunes enfants. Ils sont complètement concentrés sur ce qu'ils font dans le moment présent.

Puis ils grandissent, et tout en grandissant, ils reçoivent une foule de conseils des adultes. Des conseils comme:

- Mets ça de côté pour les jours pluvieux.
- Attends d'être plus grand.
- Cela vaudra la peine en fin de compte.

C'est ainsi que nous nous habituons à retarder notre satisfaction, et lorsque nous devenons des adultes, la majorité d'entre nous a oublié comment apprécier le moment présent.

J'ai trouvé une charmante citation à ce sujet dans un livre de l'auteur américain Dr Wayne Dyer. Elle dit :

Au début, j'avais hâte de terminer l'école secondaire pour entrer au collège et ensuite

J'avais hâte de terminer le collège pour commencer à travailler et ensuite

J'avais hâte de me marier et d'avoir des enfants et ensuite

J'avais hâte que mes enfants soient assez vieux pour aller à l'école afin que je puisse retourner travailler et ensuite

J'avais hâte de prendre ma retraite et maintenant

Je suis mourant et je réalise que j'ai oublié de vivre.

Il est très important d'avoir des objectifs, des projets, mais si vous n'apprenez pas à jouir du moment présent, vos réalisations ne vous procureront jamais de vraie satisfaction. Et à quoi sert votre réussite si vous ne pouvez pas en profiter ? J'estime que la réussite sans satisfaction n'est qu'une autre forme d'échec.

Comment pouvez-vous donc renverser une vie complète de conditionnement et réapprendre à vivre dans le moment présent ? Je crois que la clé du succès réside dans trois éléments.

RALENTISSEZ

« Dépêche-toi. »

« Nous allons être en retard. »

« Allez, avance. »

Combien de fois par semaine quelqu'un vous pousse-t-il dans le dos ? Nous avons appris à nous dépêcher afin de rencontrer nos échéances externes. Il est cependant tellement facile d'intérioriser le tout à un point tel que notre impatience commence à prendre le dessus sur tout ce que nous faisons.

Certaines activités doivent être complétées pour une certaine date. Et il y a certains avantages à faire les choses le plus rapidement possible. Mais vous perdrez complètement le plaisir que vous pourriez éprouver à faire un tas d'autres choses si vous essayez de les faire trop rapidement. Quelle est l'utilité de se dépêcher lorsque l'on fait une promenade à la campagne, ou lorsque l'on prend un délicieux repas, ou lorsque l'on fait l'amour à quelqu'un que l'on adore ?

LAISSEZ LES ENFANTS VOUS GUIDER

Ma deuxième suggestion est de laisser les enfants vous guider. Si vous n'avez pas d'enfants, essayez de passer du temps avec quelqu'un qui en a. Les enfants, surtout les très jeunes enfants, ont la capacité naturelle de vivre dans le moment présent et nous pouvons apprendre beaucoup en vivant à leur rythme pendant quelques heures.

Faites une promenade avec un jeune enfant et laissez-le aller à son rythme. Il est extraordinaire de constater le temps qu'il peut passer à examiner une fleur, une feuille, un ver de terre ou un insecte. Vous verrez des choses que vous n'avez pas vues depuis des années.

POSEZ LES BONNES QUESTIONS

Finalement, prenez l'habitude de vous poser les bonnes questions. Des questions telles que :

- Comment puis-je apprécier ce que je fais en ce moment ?
- Comment puis-je rendre plus agréable ce que je fais ?
- De quelle façon ma vie est-elle extraordinaire en ce moment ?

Le plaisir est une chose merveilleuse et vous méritez d'en avoir autant que possible dans votre vie. Et vous méritez d'en avoir maintenant, et non pas demain ou la semaine prochaine ou lorsque vous aurez accompli ceci ou cela, ou à tout autre moment dans l'avenir, parce que l'avenir, par définition, n'arrive jamais. La vie est une série de moments présents et chacun d'entre eux vaut la peine d'être vécu au maximum.

CHAPITRE 20

Célébrer vos réussites

Il y a quelques années, je regardais le marathon de Londres. L'atmosphère était électrisante. Chaque fois qu'un coureur traversait la ligne d'arrivée, les caméras s'activaient et les amis, les membres de la famille, l'équipe médicale accouraient pour embrasser les finissants et les féliciter de leur réalisation.

Imaginez maintenant que vous venez de terminer un marathon. Imaginez que vous avez passé deux, trois ou quatre heures à courir plus de 48 kilomètres. Et imaginez qu'en approchant du dernier coin de rue, vous constatez que personne ne vous attend pour vous accueillir. Pas de ligne d'arrivée, pas de caméras, pas de parents fiers, rien d'autre qu'une rue déserte sans même une ligne tracée à la craie pour marquer la fin de votre réalisation. Comment vous sentiriez-vous ? Cette situation n'aurait-elle pas un peu d'impact sur la façon dont vous vous sentiriez envers votre réalisation ?

Si cela arrivait à quelqu'un que vous connaissez, vous seriez sûrement outré. « Mais comment sa famille peut-elle être si égoïste ? », vous demanderez-vous. « Mon ami vient de courir 48 kilomètres et personne n'est foutu de venir le féliciter à son arrivée ! » Mais nous sommes plusieurs à agir souvent de cette façon. Nous travaillons pendant des semaines, des mois, et parfois même des années à essayer d'accomplir quelque chose qui en vaut la peine, et lorsque nous réussissons finalement à réaliser notre objectif, nous nous disons : « Oh, très bien. Que vais-je essayer maintenant ? »

Comme nous avons tort. Si vous ne prenez pas le temps de célébrer vos réalisations de façon appropriée, vous vous priverez du plaisir qui y est associé. Et si vous ne faites pas de vos réussites des expériences agréables, vous constaterez que votre motivation à atteindre le prochain objectif sera considérablement réduite.

Afin d'entretenir votre motivation à long terme et votre sentiment de réalisation, il est essentiel que vous célébriez chacune de vos réussites de façon appropriée. Pour vous récompenser d'avoir atteint un petit jalon, vous pourriez vous offrir une boîte de chocolats ou une bouteille de vin. Pour une réussite plus importante, vous pourriez songer à quelque chose qui représente l'ampleur de votre réalisation.

Vous devez prendre l'habitude de faire ceci automatiquement dans votre vie. Même durant une semaine ordinaire, vous trouverez éventuellement une réussite à célébrer si vous vous y prenez de la bonne façon.

Il vous faudra de nouveau vous poser les bonnes questions. Elles pourraient être :

- Que suis-je fier d'avoir accompli cette semaine ?
- Qu'y a-t-il de formidable dans ma vie en ce moment ?
- De quoi suis-je reconnaissant dans ma vie en ce moment ?

Si vous vous posez les bonnes questions, vous serez en mesure de trouver quelque chose dont vous pouvez être fier ou reconnaissant, même après la semaine la plus difficile.

TENEZ UN JOURNAL

Finalement, je vous encourage à prendre l'habitude de tenir un journal pour y inscrire toutes vos meilleures expériences. Lorsque vous vivez un moment magique – qu'il s'agisse de la satisfaction éprouvée après une réussite majeure, ou d'un moment de tendresse avec l'être aimé ou tout simplement d'une journée agréable –, inscrivez dans votre journal la façon dont vous vous sentez. Si vous prenez quelques minutes pour saisir le moment pendant qu'il est encore frais dans votre mémoire, vous pourrez le revivre de nouveau lorsque vous y reviendrez.

Au fil du temps, votre journal deviendra un outil indispensable pour transformer votre vie en cercle vertueux. Chaque nouvelle réalisation améliorera votre confiance, et lorsque votre confiance en vos capacités grandira, vous serez en mesure de réaliser encore plus de choses. Jusqu'au jour, peut-être, où vous constaterez que vous êtes vraiment devenu tout ce que vous êtes capable d'être.

Retour vers l'avenir

Avant de terminer, laissez-vous résumer ce que la réussite représente pour moi.

La réussite n'a rien à voir avec l'argent, le statut social ou ces moments éphémères de bonheur parfait qui sont tellement surexploités par les publicitaires. Ma définition d'une personne qui a réussi est comme suit :

Une personne qui a réussi est quelqu'un qui a un présent satisfaisant, un passé complètement résolu et un avenir irrésistible, excitant et rempli de buts à atteindre.

J'aimerais terminer ce livre en vous invitant à vous joindre à moi pour effectuer un dernier exercice qui vous permettra d'englober votre passé, votre présent et votre avenir.

J'aimerais vous inviter à retourner à cette fête d'anniversaire dans dix ans, lorsque tous les gens qui vous sont chers seront rassemblés pour célébrer votre vie et prononcer un discours. Vous devez lire cet exercice en entier avant de le commencer. Certaines personnes enregistrent les instructions sur une cassette afin de pouvoir se concentrer pour les suivre.

- Je vous demanderais de vous imaginer que vous êtes de retour dans cette capsule de temps en verre, celle qui peut vous propulser dix ans dans l'avenir. Fermez vos yeux et imaginez qu'elle vous transporte dans le reste de la journée, le reste de la semaine, le reste de l'année et ainsi de suite jusqu'à cette fête d'anniversaire dans dix ans, où tous les gens qui vous sont chers sont rassemblés pour rendre hommage à vos réalisations. Voyez clairement dans votre esprit les quatre personnes que vous aimeriez le plus voir à cette fête : quelqu'un avec qui vous travaillez, votre meilleur ami, votre conjoint et votre mère, votre père ou votre tuteur, avec l'apparence qu'ils auront dans dix ans.

- Chacune de ces personnes s'apprête à prononcer un discours pour célébrer tout ce que vous avez accompli au cours des dix dernières années. Et savez-vous quoi ? Vous avez atteint chacun de vos objectifs. Chaque domaine de votre vie est un triomphe. Vos affaires financières, votre vie de famille, votre santé, votre bien-être émotionnel, chaque aspect de votre vie est exactement tel que vous le souhaitiez.
- Comment vous sentez-vous d'avoir accompli autant ? Comment vous sentez-vous en écoutant ces témoignages élogieux des personnes qui vous sont les plus chères ?
- Tenez-vous de la façon dont vous vous tiendriez si vous aviez déjà accompli toutes ces choses.
- Respirez de la façon dont vous respireriez si vous aviez déjà accompli toutes ces choses.
- Dites-vous ce que vous vous diriez si vous aviez déjà accompli toutes ces choses.
- Voyez ce que vous verriez si vous aviez déjà accompli toutes ces choses.

- Ressentez ce que vous ressentiriez si vous aviez déjà accompli autant.

- Et savourez ces sentiments. Voilà comment on se sent quand on vit une vie remplie de passion et d'intention. Et lorsque vous aurez vécu de cette façon, ne serait-ce que pour un moment, vous ne voudrez plus jamais vivre autrement par la suite.

Vous méritez une vie merveilleuse. Assurez-vous de vivre pleinement chaque moment.

LECTURES SUPPLÉMENTAIRES

J'espère sincèrement que mon livre vous incitera à vous intéresser davantage au développement personnel. Si je vous ai inspiré et que vous désirez poursuivre vos lectures sur le sujet, je vous recommande les dix livres suivants :

1. Stephen R. COVEY. *The Seven Habits of Highly Effective People*, Simon and Schuster, 1989.
2. Anthony ROBBINS. *Awaken the Giant Within*, Simon and Schuster, 1991.
3. Wayne DYER. *You'll See It When You Believe It*, Arrow, 1989.
4. Art BERG. *The Impossible Just Takes a Little Longer*, Piatkus Books, 2002.
5. Tony BUZAN. *The Mind Map Book*, BBC Books, 1993.
6. Viktor FRANKL. *Man's Search for Meaning*, Washington Square Press, 1985.
7. Ellen MACARTHUR. *Taking on the World*, Penguin, 2002.
8. Jack CANFIELD et Mark Victor HANSON. *Chicken Soup for the Soul*, Vermilion, 1993.
9. Richard BANDLER. *Insider's Guide to Submodalities*, Meta Publications, 1993.
10. Martin SELIGMAN. *Authentic Happiness*, Simon and Schuster, 2002.

TABLE DES MATIÈRES